CONVERSATIONS

pratiques de l'oral

Cidalia Martins
Jean-Jacques Mabilat

 AllianceFrançaise

SOMMAIRE

Illustrations : Claude-Henri Saunier – Couverture et maquette : François Huertas
Mise en pages : Nicole Pellieux

© Les Éditions Didier, Paris 2003   Imprimé en France   ISBN 10 : 2-2780-5358-2
                                                          ISBN 13 : 978-2-2780-5358-2

PRÉFACE

Communiquer, c'est l'objectif aujourd'hui évident de tout enseignement-apprentissage. Le français langue étrangère a largement contribué à mettre cette composante au cœur des dispositifs montés pour les apprenants : si le message ne peut exister sans la forme, la réussite du message est l'objectif premier, avant la maîtrise des processus grammaticaux et lexicaux qui le régissent. Méthodes, grammaires, cahiers d'exercices, tous les ouvrages aujourd'hui disponibles se réclament des approches communicatives. Les procédures d'évaluation, longtemps cantonnées dans le domaine strictement linguistique, ont suivi, et parfois précédé cette remise à l'honneur du sens.

Conversations arrive donc dans un paysage déjà bien composé, auquel il apporte une sorte de touche finale. L'intention des auteurs n'est évidemment pas de réduire l'enseignement à de simples formules, efficaces, mais limitées, que l'on trouverait et que l'on trouve encore dans les guides pour touristes : ce guide se veut plutôt le point d'aboutissement de ce qui doit rester des heures consacrées à l'étude du français. Loin de se substituer aux méthodes ou de rejeter les grammaires, il constitue la synthèse fonctionnelle des savoirs et des savoir-faire acquis au cours d'une étude plus méthodique et progressive de la langue. À cela, il ajoute une mise en évidence des finesses du discours, et de son adéquation aux situations. Car il ne s'agit pas d'imposer des formules dogmatiques, mais de les maîtriser pour mieux les dépasser et d'acquérir, au fil des situations évoquées, une parole plus fluide et plus libre.

Merci aux auteurs d'avoir avec compétence et talent offert ce précieux outil aux apprenants de FLE.

Annie MONNERIE
Directrice de l'Alliance Française de Paris

AVANT-PROPOS

Conversations s'adresse :
– aux étudiants en français langue étrangère de tous niveaux (à partir de faux-débutants) ;
– aux étrangers de passage en France ou dans un pays francophone (tourisme, affaires, travail…) ;
– aux professeurs de FLE qui trouveront dans *Conversations* un matériel complémentaire pour leurs cours.

Conversations leur permettra de communiquer dans la plupart des situations de la vie quotidienne, de la « survie » (premiers contacts) à des situations plus complexes (prise de parole, réclamation…).

Conversations se compose de onze chapitres qui recouvrent les situations les plus courantes qu'il est possible de rencontrer pendant un séjour dans un pays francophone.
Chaque chapitre comprend les principales structures utilisées par les Français (sélectionnées par une enquête auprès de francophones de tous âges et de tous milieux sociaux), correspondant à des actes de parole et à des niveaux de langue différents.
On trouvera également des expressions idiomatiques imagées, fréquemment employées, des expressions utilisées plus particulièrement à l'écrit, ainsi que de nombreuses notes culturelles ou linguistiques qui permettront au locuteur d'éviter de faire des faux pas.
Chaque chapitre se conclut par des dialogues dont plusieurs sont enregistrés (voir CD) qui reprennent les structures vues dans le chapitre.
Le matériel sélectionné correspond aux niveaux A1 à C1 du Cadre européen commun de référence pour les langues et du Cadre de référence des examens de langues de ALTE.

Comment utiliser *Conversations*
Le lecteur cherchera la situation qui l'intéresse dans l'index, en français ou dans une langue étrangère (allemand, anglais, espagnol ou japonais) et il pourra se rapporter au chapitre correspondant.

Il verra que, dans chaque chapitre, les principales structures utilisées sont classées, selon la situation de communication et l'interlocuteur, en trois catégories (standard, formel et familier) facilement visualisables par leur emplacement dans la page et leur couleur. Il choisira ainsi le registre de langue correspondant à ses souhaits. Nous avons conscience de l'aspect parfois arbitraire de cette classification. Ce qui peut paraître familier aux uns sera considéré comme standard par les autres. Le milieu social, l'âge, voire la géographie, ont leur influence. Nous avons tenté d'adopter une position médiane qui évitera au lecteur de commettre des impairs.

Il pourra, de plus, trouver certaines expressions imagées, plus recherchées ou au contraire très familières.

L'écoute et la lecture des dialogues illustreront le point concerné.

Le professeur de Français Langue Étrangère trouvera dans *Conversations* le matériel de base pour établir un programme fonctionnel et pourra introduire sa leçon par l'écoute d'un dialogue.

Nous tenons à remercier tous ceux qui, en répondant volontiers à nos questionnaires, nous ont aidés à sélectionner les structures de *Conversations*. Nous remercions tout particulièrement les professeurs de l'Alliance Française de Paris ainsi qu'Alain Combet dont le rôle a été déterminant.

LES AUTEURS

PRÉSENTATION DE L'OUVRAGE

De toilleurs

Texte centré, en marron : français standard.

Texte à gauche, en marron : français plus formel, vouvoiement (avec une personne inconnue ou peu connue, plus âgée ou dans une situation professionnelle formelle).

Langue écrite, administrative ou commerciale.

Illustration de geste culturel.

Sur la tranche, un marquage de couleur pour chaque chapitre.

Texte à droite, en violet : français plus familier, tutoiement (avec un ami, un enfant, en famille, entre jeunes, entre collègues).

TRÈS FAM. : français très familier, voire grossier.

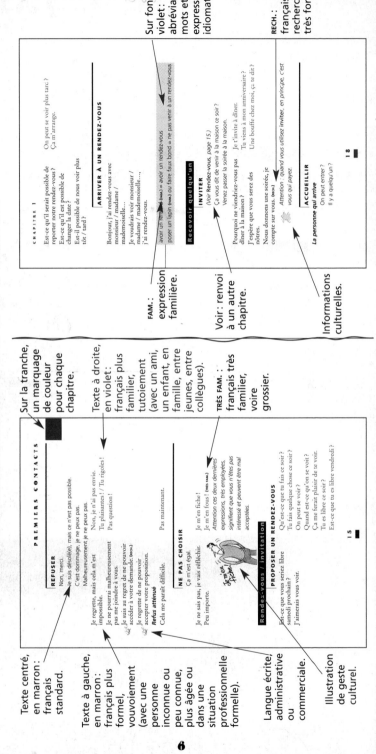

PREMIERS CONTACTS

REFUSER

Non, merci.
Je suis désolé(e), mais ce n'est pas possible.
C'est dommage, mais ce n'est
Malheureusement, je ne peux pas.
Je regrette, mais cela m'est impossible.
Je ne pourrai malheureusement pas me joindre à vous.
Je suis au regret de ne pouvoir accéder à votre demande. (ADM.)
Je regrette de ne pouvoir accepter votre proposition.
Refus atténué
Cela me paraît difficile.

Non, je n'ai pas envie.
Tu plaisantes ! / Tu rigoles !
Pas question !

Pas maintenant.

NE PAS CHOISIR

Ça m'est égal.

Je ne sais pas, je vais réfléchir.
Peu importe.

Je m'en fiche !
Je m'en fous ! (TRÈS FAM.)
Attention ces deux dernières expressions, très employées, signifient que vous n'êtes pas intéressé et peuvent être mal acceptées.

Rendez-vous / invitation

PROPOSER UN RENDEZ-VOUS

Est-ce que vous seriez libre samedi prochain ?
J'aimerais vous voir.

Qu'est-ce que tu fais ce soir ?
Tu fais quelque chose ce soir ?
On peut se voir ?
Quand est-ce qu'on se voit ?
Ça me ferait plaisir de te voir.
Tu es libre ce soir ?
Est-ce que tu es libre vendredi ?

15

CHAPITRE 1

Est-ce qu'il serait possible de reporter notre rendez-vous ?
Est-ce qu'il est possible de changer la date ?
Est-il possible de nous voir plus tôt / tard ?

On peut se voir plus tard ?
Ça m'arrange.

ARRIVER À UN RENDEZ-VOUS

Bonjour, j'ai rendez-vous avec monsieur / madame / mademoiselle...
Je voudrais voir monsieur / madame / mademoiselle...,
j'ai rendez-vous.

avoir un rendez-vous (FAM.) = avoir un rendez-vous
poser un lapin (FAM.) ou faire faux bond = ne pas venir à un rendez-vous

Recevoir quelqu'un

INVITER

(Voir **Rendez-vous**, page 15)

Ça vous dit de venir à la maison ce soir ?
Venez passer la soirée à la maison.

Pourquoi ne viendriez-vous pas dîner à la maison ?
J'espère que vous serez des nôtres.
Nous donnons une soirée, je compte sur vous. (ADM.)

Je t'invite à dîner.
Tu viens à mon anniversaire ?
Une bouffe chez moi, ça te dit ?

ACCUEILLIR

La personne qui arrive

On peut entrer ?
Il y a quelqu'un ?

Attention : quand vous utilisez inviter, *en principe*, c'est vous qui payez.

18

FAM. : expression familière.

Voir : renvoi à un autre chapitre.

Informations culturelles.

Sur fond violet : abréviations, mots et expressions idiomatiques.

RECH. : français recherché, très formel.

6

PREMIERS CONTACTS

PRENDRE CONTACT AVEC
QUELQU'UN
  Saluer
  Aborder quelqu'un
  Nommer quelqu'un de loin
  Demander à quelqu'un de se
  présenter
  Se présenter
  Présenter quelqu'un
  Répondre à une présentation
  Demander des nouvelles
  Répondre à une demande
  de nouvelles
  Faire un compliment
  Recevoir un compliment
  Proposer de se tutoyer
  Se quitter
  Transmettre ses salutations

PROPOSER DE FAIRE QUELQUE
CHOSE
  Accepter
  Refuser
  Ne pas choisir

RENDEZ-VOUS ET INVITATION
  Proposer un rendez-vous
  Accepter un rendez-vous
  Refuser un rendez-vous
  Différer sa réponse
  Fixer un rendez-vous
  Se décommander
  Déplacer un rendez-vous
  Arriver à un rendez-vous

RECEVOIR QUELQU'UN
  Inviter / accueillir
  Offrir / recevoir un cadeau
  Installer
  Apéritif / trinquer
  Passer / placer à table
  Souhaiter un bon appétit
  Pendant le repas
  Prendre congé

SOUHAITER (événement)
  Quand on quitte quelqu'un
  Quand quelqu'un éternue
  À quelqu'un qui se marie
  Souhaiter bonne chance
  Lors d'un événement spécial

FÉLICITER

PROMETTRE

AIDER
  Demander de l'aide /
  un service
  Accepter / refuser de rendre
  service
  Proposer de l'aide
  Accepter / refuser une offre
  de service
  Encourager

REMERCIER
  Dire merci
  Répondre à un remerciement

DIALOGUES

Présentations – à une soirée

ÉDOUARD : Tiens, Patrick ! Bonsoir.

PATRICK : Bonsoir, Édouard. Comment vas-tu ?

ÉDOUARD : Bien, merci et toi ?

PATRICK : Bien. Je te présente Évelyne, ma cousine de Saint-Flour.

ÉDOUARD : Enchanté, madame. Comment allez-vous ?

ÉVELYNE : Bien, et vous-même ?

ÉDOUARD : Bien. C'est votre première visite à Strasbourg ?

ÉVELYNE : Non, je suis déjà venue ici l'année dernière.

PATRICK : J'aperçois Olga. Je vous laisse faire connaissance.

Prendre contact avec quelqu'un

SALUER

Bonjour.   Bonsoir.

 En France, vous pouvez dire **bonjour** *jusqu'à 19 h ou 20 h en été, 17 h ou 18 h en hiver. Ensuite, dites* **bonsoir**.

On ne dit **bonjour** *qu'une fois par jour à la même personne. Sinon on risque d'entendre un* **rebonjour** *qui signifie* **on s'est déjà vu aujourd'hui, vous avez oublié ?** *Alors si vous voyez une personne pour la deuxième fois, contentez-vous d'un sourire entendu.*

Bonjour, monsieur / madame / mademoiselle.

Bonjour, monsieur le directeur.

Bonjour, docteur.

Bonsoir, monsieur / madame / mademoiselle.

Bonjour, Pierre / Isabelle.

Salut.

Coucou.

Salut tout le monde.

Messieurs dames.

Cette dernière expression s'utilise parfois quand on entre dans une boutique.

 En cas d'incertitude, la question **Madame ou mademoiselle ?** *est à déconseiller (car indiscrète). Il vaut mieux utiliser* **madame,** *quitte à se faire corriger.*

ABORDER QUELQU'UN

Dans la rue

Excusez-moi, monsieur / madame / mademoiselle…

Pardon, monsieur / madame / mademoiselle…

S'il vous plaît, monsieur / madame / mademoiselle…

Pour souhaiter la bienvenue à la gare / à l'aéroport…

Bienvenue à Paris.

Soyez les bienvenus.

Dans un bureau
Excusez-moi de vous déranger !
Je peux entrer ?
On peut répondre :
Je peux vous aider ?
Je peux vous renseigner ?
Que puis-je faire pour vous ?
(RECH.)

Dans une soirée
On ne se connaît pas. Bonsoir.
On ne s'est pas déjà vu quelque
part ?

Tiens, salut !

Ah tiens, qu'est-ce que tu fais
là ?

Tu ne te souviens pas de moi ?

Alain, quelle surprise ! Ça fait
longtemps !

Oh, Marianne, c'est toi ? Je ne
t'avais pas reconnue avec cette
nouvelle coiffure !

NOMMER QUELQU'UN DE LOIN
C'est la femme d'Étienne. / C'est la directrice. /
C'est madame Vincent. / C'est Stéphanie.

Quand la personne arrive
Voilà Étienne. / Voilà le docteur.

DEMANDER À QUELQU'UN
DE SE PRÉSENTER

Quel est votre nom ?

Vous êtes monsieur… /
madame… / mademoiselle… ?

Tu t'appelles comment ?

C'est quoi ton prénom ?

SE PRÉSENTER

Je suis monsieur Martin.

Permettez-moi de me présenter,
je suis monsieur Grandet. (RECH.)

Je m'appelle Alexandre / Céline.

Moi, c'est Stéphane / Patricia,
et toi ?

PRÉSENTER QUELQU'UN

Vous connaissez Philippe ?
Je vous présente mon épouse.
Je voudrais vous présenter notre
comptable, madame Carsac.

Tu connais Isabelle ?
Je te présente Catherine.

RÉPONDRE À UNE PRÉSENTATION

Enchanté(e).
Ravi(e) de vous connaître.

Bonjour. / Bonsoir.

DEMANDER DES NOUVELLES

Comment allez-vous ?
Vous allez bien ?

Ça va ?
Comment ça va ?
Tu vas bien ?
Comment vas-tu ?
Salut, quoi de neuf ?
Tout va bien ?

RÉPONDRE À UNE DEMANDE DE NOUVELLES

Bien (merci) et vous ?
Très bien (merci), et vous ?
Bien, et vous-même ?

Ça va (bien).
Bien, merci et toi ?
Très bien, merci.
Pas mal et toi ?
Comme un lundi !

*Cette expression est surtout
utilisée chez les commerçants,
au bureau, notamment quand les
gens n'ont pas très envie de
travailler.*

Non, ça ne va pas.

En cas de réponse négative

*Il n'est pas très fréquent d'entendre une réponse négative, mais dans ce
cas, vous pouvez demander :*

Qu'est-ce qu'il y a ?
Qu'est-ce qui ne va pas ?

Qu'est-ce qui t'arrive ?
Qu'est-ce qu'il se passe ?

(Voir **Parler de son état physique,** *page 39 et* **Plaindre une personne,** *page 90.)*

OUI / NON / SI
– **Vous êtes fatigué ?**
– **Oui.** *Pour insister :* – **Oui, oui.** *ou* – **Eh, oui !**
– **Non.** *Pour insister :* – **Non, non.**
Si on vous pose une question négative, comme :
– **Vous n'êtes pas étranger ?**
Vous pouvez répondre **si** *ou* **non** :
– **Si.** (= Je suis étranger.)
– **Non.** (= Je ne suis pas étranger.)

FAIRE UN COMPLIMENT

À propos des vêtements

J'aime beaucoup votre robe.

J'aime bien ta jupe.
Ça te va bien.

À propos du physique

Tu as l'air en pleine forme.
Tu as bonne mine.
Tu as une mine superbe.

Si vous ne connaissez pas bien la personne, mieux vaut ne pas lui faire de compliments.

RECEVOIR UN COMPLIMENT

Merci. *(Voir* **Remercier,** *page 28.)*

Vous trouvez ?
Vous êtes gentil(le) !
C'est gentil de votre part.

Tu trouves ?
Tu es gentil(le) !

PROPOSER DE SE TUTOYER

Quand on fréquente la même école ou la même université, quand on est jeune, quand on travaille dans la même entreprise à un niveau hiérarchique équivalent, il est normal de se tutoyer :
On pourrait se tutoyer.
On se tutoie ?
On se dit tu ?

SE QUITTER

Au revoir.

Au revoir, monsieur / madame / mademoiselle.	Salut !
J'ai été ravi(e) de vous connaître.	Je te laisse mes coordonnées.
Je vous laisse ma carte.	*Les Français n'hésitent pas à utiliser* ciao, bye *ou* bye-bye.

Adieu *est mélodramatique et ne s'utilise plus beaucoup, sauf dans le Sud de la France où il signifie simplement* au revoir.

Quand on se revoit dans la même journée

À tout de suite.
À tout à l'heure.
À plus tard.
À ce soir.

Quand on ne sait pas quand on va se revoir

À bientôt, (j'espère).

À plus.
À un de ces jours !
À un de ces quatre !
On se téléphone.
On se maile.
On se fait signe.

Quand on sait quand on va se revoir

À demain.
À lundi.

TRANSMETTRE SES SALUTATIONS

Mes amitiés à votre mari.

Dis bonjour à Juan.
Embrasse bien les enfants.

Proposer de faire quelque chose

Nous pourrions aller au cinéma.

Si nous allions prendre un café ?

Vous seriez d'accord pour venir avec nous ?

Pourquoi ne pas aller au théâtre jeudi ?

Que diriez-vous de venir nous voir à la campagne dimanche ?

On va au ciné ?

Si on allait boire un verre ?

Ça te dirait d'aller au resto ?

Tu as envie d'aller à la plage ?

Tu n'as pas envie d'aller danser ?

Tu ne veux pas venir en boîte avec moi ?

> ciné = cinéma
> boîte = discothèque
> resto (FAM.) = restaurant

ACCEPTER

D'accord.
Avec plaisir.
Pourquoi pas ?
C'est une bonne idée !

Non, ça ne me dérange pas.
(C'est) entendu.
Cela me convient.

O.K.
Pas de problème.
Ça marche !
Je veux bien.
Attention ! Cette dernière expression peut être plus ou moins enthousiaste. Elle dépend beaucoup de l'intonation qu'on y met.

REFUSER

Non, merci.

Je suis désolé(e), mais ce n'est pas possible.

C'est dommage, je ne peux pas.

Malheureusement je ne peux pas.

Je regrette, mais cela m'est impossible.

Je ne pourrai malheureusement pas me joindre à vous.

Je suis au regret de ne pouvoir accéder à votre demande. (RECH.)

Je regrette de ne pouvoir accepter votre proposition.

Non, je n'ai pas envie.

Tu plaisantes ! / Tu rigoles !

Pas question !

Refus atténué

Cela me paraît difficile.

Pas maintenant.

NE PAS CHOISIR

Ça m'est égal.

Je ne sais pas, je vais réfléchir.

Peu importe.

Je m'en fiche !

Je m'en fous ! (TRÈS FAM.)

Attention ces deux dernières expressions, très employées, signifient que vous n'êtes pas intéressé et peuvent être mal acceptées.

Je m'en fiche !

Rendez-vous / invitation

PROPOSER UN RENDEZ-VOUS

Est-ce que vous seriez libre samedi prochain ?

J'aimerais vous voir.

Qu'est-ce que tu fais ce soir ?

Tu fais quelque chose ce soir ?

On peut se voir ?

Quand est-ce qu'on se voit ?

Ça me ferait plaisir de te voir.

Tu es libre ce soir ?

Est-ce que tu es libre vendredi ?

Pour un rendez-vous professionnel

Bonjour, je téléphone pour un rendez-vous.

Je téléphone pour prendre rendez-vous.

Je voudrais prendre rendez-vous avec monsieur / madame / mademoiselle…

Est-ce que je pourrai avoir un rendez-vous avec le docteur ?

Vous pouvez me donner un rendez-vous pour la semaine prochaine ?

Est-ce que vous pourriez me recevoir ?

Est-ce que vous pourriez m'accorder un entretien / une interview ? (RECH.)

ACCEPTER UN RENDEZ-VOUS

(Voir Accepter*, page 14.)*

Avec plaisir.

Pourquoi pas ?

Volontiers.

C'est très gentil de votre part.

Merci, c'est très aimable à vous.

C'est d'accord.

Bonne idée !

O.K.

REFUSER UN RENDEZ-VOUS

Je regrette, ce n'est pas possible.

Je regrette, mais je ne suis pas libre.

C'est très gentil à vous mais j'ai déjà quelque chose.

Ça serait avec plaisir mais…

Cela aurait été avec plaisir mais… (RECH.)

Désolé(e), je ne pourrai pas venir.

Dommage mais je ne peux pas ce soir.

Merci mais je ne peux vraiment pas.

Samedi, ça ne m'arrange pas.

Je préfère un autre jour.

DIFFÉRER SA RÉPONSE

Je ne sais pas si je suis libre, je vais chercher mon agenda.

J'ai déjà quelque chose mais je vais essayer de me libérer.

Je vous laisse un message.

Je vous envoie un e-mail.

Je ne sais pas si c'est possible, je vous confirme demain.

Je vous rappelle pour confirmer.

Attends, je vais voir si je suis libre.

Je ne sais pas si c'est possible, je te rappelle.

Rappelle-moi ce soir !

Je te confirme demain.

FIXER UN RENDEZ-VOUS

On se retrouve où ? / à quelle heure ?

On se retrouve devant le cinéma ?

À 8 h, cela vous convient ?

Quelle date vous conviendrait ?

On se voit où et quand ?

Rendez-vous à Odéon à 8 h !

À 8 h, ça te va ?

SE DÉCOMMANDER

Je suis désolé(e) mais je ne pourrai pas venir ce soir.

Malheureusement, je ne pourrai pas venir.

Je ne vais pas pouvoir venir.

Je vous appelle pour décommander mon rendez-vous.

Je regrette mais je dois reporter notre rendez-vous.

La réunion de vendredi est annulée.

J'ai un contretemps.

J'ai un empêchement de dernière minute.

Désolé(e) pour ce soir.

Ça ne marche pas pour demain soir.

DÉPLACER UN RENDEZ-VOUS

Cela m'arrangerait si on reportait notre rendez-vous.

On peut remettre ça à un autre jour ?

Est-ce qu'il serait possible de reporter notre rendez-vous ?

Est-ce qu'il est possible de changer la date ?

Est-il possible de nous voir plus tôt / tard ?

On peut se voir plus tard ?
Ça m'arrange.

ARRIVER À UN RENDEZ-VOUS

Bonjour, j'ai rendez-vous avec monsieur / madame / mademoiselle…

Je voudrais voir monsieur / madame / mademoiselle…, j'ai rendez-vous.

---

avoir un rencard (FAM.) = avoir un rendez-vous

poser un lapin (FAM.) *ou* faire faux bond = ne pas venir à un rendez-vous

Recevoir quelqu'un

INVITER

(Voir **Rendez-vous,** *page 15.)*

Ça vous dit de venir à la maison ce soir ?

Venez passer la soirée à la maison.

Pourquoi ne viendriez-vous pas dîner à la maison ?

J'espère que vous serez des nôtres.

Nous donnons une soirée, je compte sur vous. (RECH.)

Je t'invite à dîner.

Tu viens à mon anniversaire ?

Une bouffe chez moi, ça te dit ?

 Attention : quand vous utilisez **inviter,** *en principe, c'est vous qui payez.*

ACCUEILLIR

La personne qui arrive

On peut entrer ?

Il y a quelqu'un ?

La personne qui reçoit

Ça nous fait plaisir de vous voir !

Vous avez trouvé facilement ? *(Si c'est la première fois que vos invités viennent chez vous.)*

Merci d'être venu(e).   Ah, te / vous voilà !

Bienvenue !   Tiens, voilà le plus beau !

Soyez le bienvenu /
la bienvenue / les bienvenus !

Faire entrer

Entrez ! / Entrez donc !   Entre ! / Entrez !

Entrez, je vous en prie !

Pour laisser quelqu'un entrer avant vous

Après vous !   Après toi !

Je vous en prie !

Pour débarrasser les invités de leurs vêtements

Donnez-moi votre manteau !   Donne-moi ton blouson !

                                         Tu peux mettre ton imper dans
                                         la chambre.

imper (FAM.) = imperméable

OFFRIR UN CADEAU

Tenez, c'est pour vous !

J'espère que vous aimez les lilas.

J'ai pensé que cela vous ferait plaisir.

Je vous ai apporté un petit cadeau / souvenir.

Je vous ai apporté des fleurs / des chocolats.

Tiens, c'est pour toi !

J'espère que tu vas aimer.

RECEVOIR UN CADEAU

 Quand on vous offre un cadeau, avant de l'ouvrir, vous pouvez demander :

Je peux l'ouvrir ?

Merci, c'est très gentil.

C'est magnifique !

Elles sont magnifiques !

C'est très gentil à vous !

Oh ! il ne fallait pas !

Vous n'auriez pas dû !

Ces deux dernières formules ne sont pas un reproche mais un remerciement.

INSTALLER

Asseyez-vous !

Asseyez-vous, je vous en prie !

Assieds-toi !

Installe-toi !

Mets-toi à l'aise !

Fais comme chez toi !

Ne reste pas planté là, assieds-toi !

APÉRITIF

La personne qui invite

Qu'est-ce que vous prenez
(comme apéritif) ?

Qu'est-ce que vous buvez ?

Qu'est-ce que je vous offre à
boire ?

Qu'est-ce que tu prends
(comme apéritif) ?

Qu'est-ce que tu veux boire ?

Qu'est-ce que tu bois ?

Qu'est-ce que je t'offre ?

Qu'est-ce que je te sers ?

Tu prendras bien un apéro ?

Un glaçon ?

apéro (FAM.) = apéritif

La personne invitée

Qu'est-ce que vous avez ?

Je veux bien un doigt de porto.

Qu'est-ce que tu as ?

Je prendrais bien un pastis.

Un doigt ! *signifie que vous demandez une petite quantité d'alcool.*

TRINQUER

Santé !

À la vôtre !
À votre santé.

À la tienne /
À la nôtre.
Tchin tchin.

Dans un contexte formel (réception, banquet)

Je lève mon verre à la santé
de tous les participants.

Portons un toast à notre ami.

PASSER À TABLE

La personne qui invite

Nous pouvons passer à table !

À table !
On va manger !

La personne invitée

Contentez-vous d'un hochement de tête.

PLACER À TABLE

La personne invitée

Où est-ce que je me mets ?
Je peux m'asseoir ici ?

La personne qui invite

Voulez-vous vous mettre ici ?   Paul, tu es à côté de Virginie.

SOUHAITER UN BON APPÉTIT

Bon appétit !

Bon app !

Pour répondre

Vous aussi.

Toi aussi.

PENDANT LE REPAS

Demander quelque chose

Pourrais-je avoir de l'eau,   Je peux avoir le sel, s'il te plaît ?
s'il vous plaît ?   Tu peux me passer le pain ?

Proposer à quelqu'un de prendre ou reprendre de quelque chose

Vous reprendrez bien de la   Servez-vous !
salade ?   Vraiment tu n'en veux plus ?
Vous prendrez un café ?   Qui veut un café ?

Accepter

Avec plaisir.
Volontiers.
Merci, c'est vraiment délicieux.
Oui, merci.

 Merci *utilisé seul est ambigu (***Oui, merci ?** *ou* **Non,**
merci ?*), l'intonation ne suffit pas toujours, il est bien*
souvent nécessaire de préciser.
Dans une situation formelle, vous pouvez refuser une
fois, par politesse, avant d'accepter.

Refuser

Non merci.

Non vraiment, sans façon.   Non merci, j'ai déjà trop mangé.

PRENDRE CONGÉ

Je vais vous laisser.

Oh ! il commence à se faire   Il faut que j'y aille.
tard, il va falloir que je parte /   Bon, ben je vous laisse.
nous partions.   Salut, je file.

Je vous prie de m'excuser mais
je dois partir.

Remercier pour la soirée

Nous avons passé une très   C'était génial / très
bonne soirée.   sympathique.

Je vous remercie, j'ai passé une   C'était très bon, merci.
soirée très agréable.

Répondre à des remerciements

Merci d'être venu(e).

Le plaisir était pour moi / nous.

arriver comme un cheveu sur la soupe =
arriver à un mauvais moment
recevoir quelqu'un à bras ouverts =
lui faire un très bon accueil
filer à l'anglaise *ou* filer en douce =
partir discrètement sans prendre congé
claquer la porte =
partir furieux

filer à l'anglaise

Souhaiter (événement)

QUAND ON QUITTE QUELQU'UN

Bonne journée.

Bon après-midi.

Bonne nuit.

Dors bien.

Fais de beaux rêves.

 Ces trois expressions s'utilisent seulement avec des gens très proches (famille, amis) avant qu'ils aillent se coucher.

Bon week-end.

Bonne fin de semaine.

À quelqu'un qui sort le soir, va à une fête ou à un spectacle

Bonne soirée !

Amuse-toi bien !

À quelqu'un qui travaille ou étudie

Bon courage !

Travaille bien. (FAM.)

À quelqu'un qui est malade

Reposez-vous bien !

Bon rétablissement !

Repose-toi bien.

Soigne-toi bien.

À quelqu'un qui rentre chez lui

Bon retour.

À quelqu'un qui part en voyage

Bon voyage.

Bonnes vacances.

QUAND QUELQU'UN ÉTERNUE

À vos souhaits !

À tes souhaits.
À tes amours.

 Dans une situation un peu formelle, il est préférable de ne rien dire.

À QUELQU'UN QUI SE MARIE

Tous mes vœux de bonheur.

SOUHAITER BONNE CHANCE
(avant un examen, un entretien...)

Bonne chance !

Merde !

 Merde *n'est pas trop grossier, c'est simplement familier, mais ne le dites pas trop fort ! Et si on vous le dit, ne dites pas* **Merci** *!, c'est la tradition !*

LORS D'UN ÉVÉNEMENT SPÉCIAL

Bon anniversaire !
Bonne fête !

 Souhaiter une bonne fête est de tradition en France le jour de la fête du saint dont on porte le prénom.

Bonne année ! Bonne santé !
Joyeuses Pâques !
Joyeux Noël !

 Je vous souhaite... + *l'événement souhaité.*

Je vous souhaite un joyeux Noël.

Je te souhaite un joyeux anniversaire.

il faut arroser ça (FAM.) = il faut boire un verre pour fêter ça

Féliciter

Félicitations !

Toutes mes félicitations !
Je suis content(e) pour vous !

Bravo !
Je suis content(e) pour toi !
Chapeau !

Promettre

C'est promis.

Ne vous inquiétez pas, je serai là.
Je vous promets que ce sera fait.
Vous pouvez compter sur moi.
Soyez sans crainte, je le ferai.
Vous avez ma parole. (SOLENNEL)

Je te promets de faire mon possible.
Ne t'inquiète pas, je serai à l'heure.
Tu peux compter sur moi.
Sans faute !

Aider

DEMANDER DE L'AIDE / UN SERVICE

Pourriez-vous me rendre un service ?
Pourriez-vous m'aider ?
Cela me rendrait service si...

Tu peux / pourrais me rendre un service ?
Ça m'arrangerait si...

filer un coup de main (FAM.) ou donner un coup de main = aider

*Pour toute demande polie, ajoutez **s'il vous plaît** ou **s'il te plaît** à la fin de la phrase.*

Pourrais-je avoir un renseignement, s'il vous plaît ?

Tu peux me passer le marteau, s'il te plaît ?

Dans une situation de danger

Au secours !

ACCEPTER DE RENDRE SERVICE
Bien sûr !
Avec plaisir !

Si cela peut vous rendre service.   Si ça peut te rendre service.

REFUSER DE RENDRE SERVICE
Désolé mais je ne peux pas.

Je regrette.   Je ne peux pas t'aider.
Je ne peux pas vous aider.   Ça m'emmerde. (TRÈS FAM.)

PROPOSER DE L'AIDE
Je peux vous aider ?   Tu veux que je t'aide ?
Vous voulez que je vous aide ?   Je peux t'aider ?
Est-ce que je peux vous   Je te donne un coup de main ?
renseigner ?   Tu veux un coup de main ?
Que puis-je faire pour vous ? (RECH.)

ACCEPTER UNE OFFRE DE SERVICE
Ça me rendrait vraiment service.
Merci, c'est très gentil.
Je veux bien.

Merci, c'est très aimable de   C'est sympa, merci.
votre part.

REFUSER UNE OFFRE DE SERVICE
Ce n'est pas la peine, merci.
Merci c'est très gentil / aimable, mais ça va aller.

C'est très gentil à vous, mais je   C'est sympa de ta part mais je
trouverai une solution.   vais m'arranger.
                                      Merci, mais je vais me
                                      débrouiller.

retirer une épine du pied à quelqu'un = lui rendre un grand service
dépanner quelqu'un (FAM.) = lui rendre service

ENCOURAGER
Allez !
Courage !
Vas-y ! (FAM.)

N'hésitez pas !
N'ayez pas peur !

N'hésite pas !
N'aie pas peur !

Remercier

DIRE MERCI
Merci.
Merci beaucoup pour le livre.
Merci pour tout.

Merci à vous.
C'est (vraiment) gentil à vous.
Je vous remercie d'être venu(e).

Merci à toi.
C'est (très) gentil à toi.
Je te remercie pour ton aide.
Tu m'as rendu un sacré service.

Pour renouveler un remerciement

Encore merci pour votre
présence.

RÉPONDRE À UN REMERCIEMENT
Ce n'est rien.
De rien.
C'est avec plaisir.

Je vous en prie.
Je vous en prie, c'est tout
naturel.
C'est la moindre des choses.

Je t'en prie.
Il n'y a pas de quoi.
Pas de quoi !

DIALOGUES

Présentations – au bureau

LE DIRECTEUR : Ah ! Lambert, vous voilà. Je vous présente Mme Delaunay, qui arrive de notre succursale de Bangkok. M. Lambert, notre D.R.H.*

M. LAMBERT : Ravi de vous connaître, madame.

MME DELAUNAY : Enchantée, monsieur.

M. LAMBERT : Vous avez fait bon voyage ?

MME DELAUNAY : Oui, merci. Mais c'était un peu long tout de même.

* *Directeur des Ressources Humaines*

Rendez-vous chez le coiffeur

UNE COIFFEUSE : Espace Coiffure, bonjour.

MME LADURIE : Bonjour, mademoiselle. Ici madame Ladurie. Je voudrais prendre rendez-vous pour mercredi.

LA COIFFEUSE : Oui, madame. Qui est votre coiffeur ?

MME LADURIE : C'est Jean-Pierre.

LA COIFFEUSE : 10 h, cela vous convient-il ?

MME LADURIE : Je préférerais un peu plus tard.

LA COIFFEUSE : 11 h 30 ?

MME LADURIE : C'est parfait.

LA COIFFEUSE : Vous pouvez me rappeler votre nom ?

MME LADURIE : Madame Ladurie.

LA COIFFEUSE : Bien. Madame Ladurie, mercredi, 11 h 30. C'est noté. Au revoir, madame. À mercredi.

MME LADURIE : Au revoir, mademoiselle.

Déplacer un rendez-vous

LA SECRÉTAIRE : Cabinet médical.

M. MONTMOLLIN : Bonjour, madame. Ici M. Montmollin.

LA SECRÉTAIRE : Bonjour, monsieur.

M. MONTMOLLIN : J'avais rendez-vous avec le docteur Comparat à 17 h et je souhaiterais le reporter à demain. C'est possible ?

LA SECRÉTAIRE : Demain à la même heure ?

M. MONTMOLLIN : Oui.

LA SECRÉTAIRE : C'est d'accord, monsieur.

M. MONTMOLLIN: Merci beaucoup, au revoir, madame.

LA SECRÉTAIRE : Au revoir, monsieur. À demain.

Rendez-vous

ALI : On se fait un ciné ce soir ?

ANNE : Je veux bien. Qu'est-ce que tu as envie d'aller voir ?

ALI : Il y a *Bananas* qui repasse au Champollion.

ANNE : D'accord. C'est à quelle heure ?

ALI : Le film commence à huit heures. On se retrouve à huit heures moins dix devant le cinéma ?

ANNE : Entendu. À tout à l'heure.

Invitation refusée – après le cours

DANIEL : Si on allait à la piscine ?

SYLVIE : Tous les deux ?

DANIEL : Oui.

SYLVIE : Ça ne me dit pas grand-chose.

DANIEL : Tu n'as pas envie d'aller faire un tour, alors ?

SYLVIE : Écoute, j'ai beaucoup de boulot en ce moment. On verra après les exams*.

* *examens*

Un peu d'aide

Dans la rue. Une automobiliste devant un pneu crevé.

LA DAME : Excusez-moi, monsieur. Pourriez-vous m'aider ?

LE 1er PASSANT : Désolé, je n'ai pas le temps.

Un autre passant arrive.

LA DAME : Monsieur, s'il vous plaît ! Mon pneu est crevé…

LE 2e PASSANT : Je suis pressé. Débrouillez-vous !

Un troisième passant s'informe.

LE 3e PASSANT : Vous avez un problème ? Je peux vous donner un coup de main ?

LA DAME : Avec plaisir, monsieur. J'ai crevé.

LE 3e PASSANT : Je vais vous changer le pneu.

Quelques minutes plus tard.

LE 3e PASSANT : Et voilà. Ça y est !

LA DAME : Merci beaucoup, monsieur. Vous m'avez retiré une sacrée épine du pied.

LE 3e PASSANT : Je vous en prie, madame, c'est tout naturel !

Avec l'aide de mes amis

SOLANGE : Dis, Fatou, tu pourrais me rendre un service ?

FATOUMATA : Ça dépend. Qu'est-ce que tu veux ?

SOLANGE : Tu peux me garder mes poissons rouges pendant les vacances ?

FATOUMATA : Tes poissons rouges ?

SOLANGE : Oui, il suffit de les nourrir une fois par jour.

FATOUMATA : Tu pars combien de temps ?

SOLANGE : Seulement une semaine.

FATOUMATA : Bon, je veux bien. Mais pas plus. Après je m'en vais aussi.

Invitation à dîner

SIMON : Tu es sûre que c'est ici ?

NATHALIE : Mais oui, regarde, c'est le 36. Sonne.

Il sonne.

JULIE : Éric, on sonne. Tu peux aller ouvrir ?

ÉRIC : J'y vais.

Éric ouvre la porte.

ÉRIC : Ah, c'est vous ! Bonsoir.

NATHALIE : Bonsoir. Excuse-nous pour le retard, on a eu un mal fou à se garer.

ÉRIC : Pas de problème. *(Bises.)* Entrez donc.

SIMON : Tiens, c'est pour vous.

Il offre un bouquet de fleurs.

ÉRIC : C'est très gentil, merci. Julie, regarde le beau bouquet qu'ils nous ont amené.

JULIE : Oh ! elles sont magnifiques. Vous avez fait des folies. Il ne fallait pas. *(Bises.)*

ÉRIC : Asseyez-vous. Qu'est-ce que vous buvez ?

SIMON : Qu'est-ce que tu as ?

ÉRIC : Du kir ou du porto. Nathalie, qu'est-ce que tu prends ?

NATHALIE : Pour moi, un kir.

SIMON : Moi aussi.

. . . .

JULIE : Le dîner est prêt. À table !

SIMON : Je me mets où ?

JULIE : Toi ici, à côté de moi et Nathalie, à ma droite.

NATHALIE : C'est magnifique ! Qu'est-ce que c'est ?

JULIE : Une terrine de saumon. J'espère que vous aimerez.

ÉRIC : Bon appétit !

. . . .

SIMON : Il se fait tard. Il va falloir qu'on y aille. On travaille tôt demain.

ÉRIC : Vraiment ? Vous ne voulez pas un dernier verre ?

SIMON : Non, merci. Je conduis.

NATHALIE : Au revoir. Le dîner était vraiment délicieux.

JULIE : Merci. Au revoir, bon retour.

SIMON : Au revoir. On s'appelle, hein ?

ÉRIC : Oui. Bonne route !

CHAPITRE **2**

DÉCRIRE

INFORMATIONS GÉNÉRALES SUR
UNE PERSONNE
- Nom / âge / origine
- Lieu d'habitation
- Situation familiale
- Profession

DÉCRIRE L'ASPECT D'UNE
PERSONNE
- Aspect général
- Première impression
- Taille et corpulence
- Cheveux
- Yeux
- Habillement

PARLER DE SON ÉTAT PHYSIQUE
ET DE SA SANTÉ
- Si vous allez bien
- Si vous allez mal
- Prendre des nouvelles d'un tiers
- Au régime
- Dans l'attente d'un bébé
- Chez le médecin

DÉCRIRE LA PERSONNALITÉ DE
QUELQU'UN
- Caractère
- Idées politiques
- Loisirs
- Goûts et habitudes
- Capacité et incapacité

DÉCRIRE QUELQUE CHOSE
- Définition
- Désignation
- Utilité
- Aspect (dimensions / forme / poids)
- Matière
- Couleur

PARLER DE LIEUX
- Localiser quelque chose
- Parler de son pays
- Parler du pays d'accueil

PARLER DU TEMPS
- Heures / jours / date

PARLER DE LA MÉTÉO

PARLER D'UN CHANGEMENT

COMPARER
- Ressemblance / différence

DIALOGUES

Le nouveau DRH

M. DUMAS : Alors, le nouveau DRH*, vous l'avez vu ?

M. HUGON : Oui, je sors de son bureau. Elle a l'air sympathique et compétente. Elle a le sens du contact.

M. DUMAS : Elle ? C'est une femme ?

M. HUGON : Oui, elle s'appelle Myriam Duchemin.

M. DUMAS : D'où vient-elle ?

M. HUGON : De l'agence de Rennes. Je crois qu'elle est bretonne.

M. DUMAS : Et quel âge a-t-elle ?

M. HUGON : Elle est plutôt jeune pour le poste. La quarantaine.

M. DUMAS : Et comment est-elle physiquement ?

M. HUGON : Oh ! elle est brune, de taille moyenne, avec des yeux verts. Elle revient de vacances, alors elle est très bronzée. Que dire d'autre ? Elle semble être dynamique et a un très joli sourire.

M. DUMAS : Hum ! hum ! merci bien. Je vais aller faire sa connaissance immédiatement.

M. HUGON : Ah ! j'oubliais. Elle est mariée et a deux enfants. Leur photo est sur son bureau.

* *Directeur des Ressources Humaines*

Informations générales sur une personne

NOM

Quel est son nom ?

Qui est-ce ?

C'est monsieur / madame Dupont ?

C'est qui ?

Il / Elle s'appelle…

Il / Elle se nomme…   C'est Robert.

ÂGE

Quel âge a-t-il / elle ?

Il / Elle a quel âge ?

Ça lui fait quel âge ?

Il / Elle a 30 ans.

Pour évaluer approximativement l'âge de quelqu'un, on peut dire

Il a la quarantaine. Elle a une trentaine d'années.

Il / Elle a un certain âge.

Il est jeune / vieux / âgé.

Elle est jeune / vieille / âgée.

 Si vous voulez être poli(e), il est conseillé d'utiliser l'adjectif âgé(e) *plutôt que* vieux / vieille *car ce dernier a une connotation péjorative.*

C'est une personne âgée / un senior.

ORIGINE

Quelle est sa nationalité ?

Quelle est sa ville / sa région d'origine ?

Il / Elle vient de quel pays ? / de quelle région ? / de quelle ville ?

Il / Elle vient d'où ?

Il est français / étranger / alsacien.

Elle est étrangère / normande.

Il / Elle vient de Pologne / du Portugal.

Sa mère est bretonne et son père tunisien.

LIEU D'HABITATION

*(Voir **Parler de lieux**, page 46.)*
Quelle est son adresse ?
Où est-ce qu'il / elle habite ?
À quel étage ?

Vous pouvez me donner ses cordonnées ?

Il / Elle habite où ?

Il / Elle habite / vit   à Paris, dans le VIIIe (arrondissement).
en banlieue.
à la campagne / à la mer /
à la montagne.
sur la Côte d'Azur / dans les Alpes /
en Normandie.
dans une maison.
dans un pavillon (de banlieue).
dans une villa au bord de la mer.
dans un studio.
dans un appartement / dans un
trois pièces.
au troisième étage, deuxième porte
à droite en sortant de l'ascenseur.

 *En France, quand on parle de **pièces** pour un appartement, on ne compte ni l'entrée, ni la cuisine, ni la salle de bains.*

SITUATION FAMILIALE

Il est marié et a deux enfants.
Il est célibataire / marié / divorcé / veuf.
Elle est célibataire et a un enfant.
Elle est mariée / divorcée / veuve.
Il a une petite amie / une copine.
Elle a un petit ami / un copain.
Il vit avec Marie.
Ils vivent ensemble.

PROFESSION

Il / Elle est architecte / médecin…

Il / Elle travaille à l'Alliance Française.

Il / Elle travaille chez Renault.

Il / Elle est dans l'informatique.

Décrire l'aspect d'une personne

ASPECT GÉNÉRAL

C'est quelqu'un de drôle.

Cet homme / Cette femme a un air bizarre.

Il / Elle a une drôle d'allure.

Placé devant un nom, **drôle** *a le sens de* **bizarre**.

Expression

Il / Elle a une expression souriante / triste / sérieuse / mélancolique / étonnée…

PREMIÈRE IMPRESSION

Il ressemble à sa sœur.

Elle semble / paraît sympathique.

Il / Elle a l'air aimable / l'air d'un intellectuel.

(**Avoir l'air** *signifie* **sembler**.)

Elle donne l'impression d'être distraite.

Il a de drôles de manières.

Elle fait bonne / mauvaise impression.

C'est une personne qui a beaucoup de qualités.

Il se comporte en dictateur.   Il fait comme si c'était lui le patron.

C'est un homme bien / une femme bien.

C'est un mec super.

TAILLE ET CORPULENCE

Quelle est sa taille ?

Il / Elle mesure combien ?

Il / Elle est de taille moyenne / de petite taille.
Il est grand / petit.
Elle est grande / petite.
Il / Elle mesure 1,80 m. *(On dit :* **un mètre quatre-vingts.***)*
Il / Elle est maigre / mince / gros(se).

Pour éviter le mot **gros,** *vous pouvez dire* **être bien en chair** *ou* **être fort(e).**

être maigre comme un clou = être très maigre

Dans un magasin, on peut vous demander :
Quelle est votre taille ?
Quelle taille faites-vous ?
Quelle est votre pointure ?
Le mot **taille** *s'utilise pour les vêtements :*
Je fais du 42.
Le mot **pointure** *s'utilise pour les chaussures :*
Je fais / chausse du 38.

CHEVEUX

Il / elle a les cheveux   longs / courts / mi-longs.
blonds / bruns / roux / blancs /
noirs / gris.
frisés / raides / souples.
Elle est blonde, brune, rousse.
Il est chauve.

Il porte / il a une barbe,
une moustache.
Il est barbu / moustachu.

YEUX

Il / Elle a les yeux bleus / marron / gris / verts / noirs.
Elle / Il porte des lunettes / des lentilles.

HABILLEMENT

Il a / porte un costume / une tenue sport / une veste et un pantalon…

Elle a / porte un tailleur / une robe / une jupe…

Tenue correcte exigée.

Tenue de soirée.

Ces deux expressions sont utilisées pour faire référence au type de vêtements nécessaires pour une soirée ou une cérémonie.

Parler de son état physique et de sa santé

Quand on vous demande de vos nouvelles (voir page 11), vous pouvez répondre :

SI VOUS ALLEZ BIEN

Ça va bien / très bien.

Je suis en pleine forme.

Je vais très bien.

avoir bonne / mauvaise mine

avoir la pêche (FAM.) = être en forme

SI VOUS ALLEZ MAL

Ça ne va pas.

Je ne vais pas bien / Je ne me sens pas bien.

Je suis fatigué(e).

Je me sens mal.

J'ai mal à la gorge / à la tête / au dos / au ventre / aux dents.

J'ai attrapé un rhume.

Je n'ai pas d'appétit.

J'ai pris froid.

avoir mal au cœur = avoir envie de vomir

avoir un coup de barre (FAM.) = être fatigué(e)

avoir la gueule de bois (FAM.) : *Quand on a bu trop d'alcool la veille.*

CHAPITRE **2**

Vous souffrez

> Ça fait mal !
> Ça pique !
> Aïe !
> Ouille !

Je suis souffrant. *(Attention, cela signifie* **Je suis malade.***)*

Après une maladie

> Ça va mieux.
> Je me sens mieux.
> Je vais mieux.

PRENDRE DES NOUVELLES D'UN TIERS

Comment va-t-il ?
On peut vous répondre :
Il a 39 de fièvre.
Elle a de la fièvre.
Il a eu un accident.
Elle s'est cassé un bras.
Il est grièvement / légèrement blessé.
Elle est dans un état grave.
Il est en congé maladie.
Il se rétablit lentement.
Elle est rétablie.

AU RÉGIME

Il / Elle est à la diète.
Il / Elle est au régime.
Il / Elle fait / suit un régime.

DANS L'ATTENTE D'UN BÉBÉ

Elle attend un bébé / un garçon / une fille /
des jumeaux.
Elle est enceinte de trois mois.
Elle va accoucher dans un mois.
Bernard et Nicole vont avoir un bébé.

CHEZ LE MÉDECIN

À la porte d'un cabinet médical, on peut lire

> CONSULTATIONS DE 14 H À 18 H
> UNIQUEMENT SUR RENDEZ-VOUS
> MÉDECIN CONVENTIONNÉ

 Si le médecin est conventionné, les frais médicaux sont remboursés en partie ou en totalité par la sécurité sociale.

Le médecin peut vous dire

Vous souffrez ?
Où est-ce que vous avez mal ?
Qu'est-ce qui ne va pas ?
Enlevez votre chemise.
Déshabillez-vous.
Allongez-vous.
Respirez fort !
Toussez !
Je vais vous faire une ordonnance. *(Elle est nécessaire pour obtenir certains médicaments.)*
Je vais vous prescrire des médicaments.

Vous pouvez dire à votre médecin

(Voir **Si vous allez mal,** *page 39.)*
Je dois me faire vacciner contre la fièvre jaune.
Il me faut un certificat médical.

Chez le pharmacien

Je voudrais quelque chose pour la grippe.
Je voudrais un sirop contre la toux.
Le pharmacien peut vous dire :
Je vais vous donner des cachets / des comprimés / des suppositoires.
Vous avez une ordonnance ?
Vous avez une mutuelle ?

 La mutuelle est une assurance complémentaire à la Sécurité sociale.

Décrire la personnalité de quelqu'un

CARACTÈRE

Comment est-il / elle ?   Il / Elle est comment ?
Quel est son caractère ?   Est-ce qu'il / elle est
                                   sympathique ?

Il / Elle est drôle / égoïste / sympa / timide…
Il / Elle parle peu / beaucoup.
Il / Elle a un complexe d'infériorité / de supériorité.

avoir un caractère de cochon = avoir mauvais caractère
avoir du cœur / avoir un grand cœur = être généreux
un homme comme il faut = un homme bien
Quel drôle de type ! (FAM.) = C'est un homme étrange.

IDÉES POLITIQUES

Elle est de droite / de gauche / centriste / d'extrême
droite / d'extrême gauche.
Il est conservateur / écologiste / libéral / socialiste.
Elle est au PS / au Parti démocrate.

LOISIRS

Il fait du cheval / de la natation.
Elle joue au golf / au tennis.
Il joue du piano / de la guitare.
Elle collectionne les timbres / les cartes téléphoniques.

GOÛTS ET HABITUDES

Elle ne mange pas de poisson.
Il est végétarien.
Il ne boit que de la bière.
Elle écoute du rock / du jazz / de la musique classique.

CAPACITÉ / INCAPACITÉ

Si vous voulez exprimer une capacité

Il est capable de marcher pendant des heures.

Elle conduit très bien.

Il est doué pour les langues.

Elle est douée en maths.

Il a le sens des affaires.

Elle est forte en physique.

Elle s'y connaît, en informatique.

Il sait y faire.

Si vous voulez exprimer votre incapacité

Je ne sais pas (bien) nager.

Je ne sais pas du tout conduire.

Je n'y connais rien.

Je ne suis pas très doué(e).

Je suis nul(le) en maths.

Je ne peux pas.

Je n'en suis pas capable.

Je suis incapable de le faire.

Je n'y arrive pas.

Je n'y arriverai jamais.

Décrire quelque chose

DÉFINITION

Qu'est-ce que c'est?

C'est... / Ce sont...

C'est comme...

C'est une espèce de... / une sorte de... / un genre de...

DÉSIGNATION

Quand vous indiquez un objet, un vêtement, par exemple, dans un magasin

Celui-ci. / Celui-là. / Celle-ci. / Celle-là.

Celui / Celle de droite / de gauche.

Celui qui est en vitrine.

Le vert. / La rouge. / La grande. / Le petit.

Le premier / Le deuxième / La dernière en partant de la droite.

Un comme ça.

Un plus gros.

Si vous ignorez le nom d'un objet

Cela. / Ça. / Cette chose.

Ce truc. / Ce machin. / Ce bidule.

UTILITÉ

À quoi ça sert ?

Ça sert à quoi ?

C'est pour faire quoi ?

C'est fait pour faciliter le travail.

Ça sert à enlever les mauvaises herbes.

On l'utilise pour sécuriser le courrier électronique.

On s'en sert pour ouvrir les huîtres.

ASPECT

Dimensions

Quelle est sa taille / longueur / largeur / hauteur / profondeur ?

Quelles sont ses dimensions ?

Ça fait deux mètres sur trois.
Il mesure 60 m². *(On dit :* **soixante mètres carrés***.)*

Forme

Quelle est sa forme ?

C'est (assez / très / plutôt) grand, gros, petit, mince, fin, épais, minuscule, long, court, lourd, léger.
C'est carré, rectangulaire, rond, circulaire.
Il a la forme d'un carré / rectangle / triangle / cercle.
Il est difforme.

Poids

Quel est le poids de ce meuble ?
Il / Elle pèse combien ?

Ça pèse 50 kilos.
Elle pèse 15 kg.
Ça fait une tonne.

MATIÈRE

C'est en quoi ?
C'est fait en quoi ?
C'est en quelle matière ?
C'est en bois / coton / laine / métal / or / pierre / plastique.

Au toucher, on peut dire

C'est doux / dur / mou.

COULEUR

Il est / Elle est / C'est de quelle couleur ?

C'est rouge / violet / marron / orange / noir / blanc.
Elle est violette / noire / marron.
La neige est blanche.
Les tournesols sont jaunes.
Ce blouson est vert foncé.
Sa robe est bleu clair.

Parler de lieux

LOCALISER QUELQUE CHOSE

(Voir **Interroger**, *page 61.)*

Où est-ce que c'est ?

C'est loin ?

Où est-ce ?

Où est-ce que vous passez vos vacances ?

Par où passez-vous ?

C'est où ?

Tu vas où ?

Tu passes par où ?

C'est tout près. / C'est loin.

C'est tout droit.

C'est à gauche / à droite.

C'est juste à côté / en face.

Ça se trouve près d'ici.

C'est situé à 20 km de Paris.

PARLER DE SON PAYS

C'est où exactement ?

C'est loin ?

C'est grand ?

C'est comment ?

Les gens sont comment ?

Vous y retournez souvent ?

C'est deux fois plus grand que la France.

C'est grand comme la Suisse.

C'est à dix heures de vol.

C'est un peu comme la Provence.

Il fait plus chaud / froid qu'ici.

Le climat est plus / moins agréable qu'ici.

avoir le mal du pays = avoir la nostalgie de son pays

PARLER DU PAYS D'ACCUEIL

Je me sens bien ici.

J'ai des problèmes avec la langue.

J'aime (beaucoup) les gens / la culture / la gastronomie d'ici.

Il y a beaucoup de choses à faire ici.

Ici, mon travail me plaît (vraiment).

Je ne peux pas trouver de travail.

Il y a beaucoup de différences / similarités entre ici et mon pays.

L'adaptation est facile / difficile pour moi.

Parler du temps

S'INFORMER DE L'HEURE

Quelle heure est-il ?

Excusez-moi, vous avez l'heure, s'il vous plaît ?

Il est huit heures (du matin). *(8 h)*

Il est vingt heures / huit heures (du soir). *(20 h)*

Il est neuf heures vingt-cinq. *(9 h 25)*

Il est dix heures et quart. *(10 h 15)*

Il est midi moins dix / onze heures cinquante. *(11 h 50)*

Attention ! On ne peut pas utiliser **et quart, un quart, et demi(e)** *et* **moins le quart** *avec les chiffres de 12 à 24, ce n'est possible que si vous employez les chiffres de 1 à 11, midi et minuit :*

Il est douze heures trente / midi et demi. *(12 h 30)*

Il est treize heures trente / une heure et demie. *(13 h 30)*

Il est vingt-trois heures quarante-cinq / minuit moins le quart. *(23 h 45)*

S'INFORMER DU JOUR DE LA SEMAINE

On est quel jour ?

Quel jour sommes-nous ?   Quel jour on est ?

On est jeudi.

Nous sommes jeudi.

S'INFORMER DE LA DATE

Quelle est la date d'aujourd'hui ?   On est le combien ?

Nous sommes le 19 octobre.   On est le 19.

PONCTUALITÉ

Il / Elle est en avance / en retard / à l'heure.

SITUER DANS LE TEMPS

J'habite ici depuis deux ans.

Elle est arrivée il y a quinze jours.

Je pars dans huit jours, mercredi prochain.

Je l'ai rencontré(e) la semaine dernière.

Il a beaucoup de travail ce mois-ci.

Parler de la météo

Quel temps fait-il ?

Que dit la météo ?

Qu'est-ce que prévoit la météo ?

Tu as vu la météo ?

Il fait beau / mauvais / chaud / froid.

Il y a une averse / un orage /
de la tempête / du soleil.

Le ciel est bleu / gris.

Il va pleuvoir / neiger.

Il fait 28 °C. (*On dit:* **vingt-huit degrés**.)

Il fait – 4°. (*On dit:* **moins quatre**.)

On va avoir du beau temps.

il fait un temps de chien / de cochon = il fait mauvais, il pleut

Parler d'un changement

Pour exprimer l'idée d'un changement

Ça devient difficile.
Le climat change.
Nous allons changer de voiture.
C'est une transformation totale.
Il rajeunit / vieillit.
Elle rougit / blanchit.
On modifie le décor.

Comparer

Je suis comme toi.
Il est plus grand que son frère.
Elle est aussi rapide que lui.
Il gagne autant que le directeur.
Elle est moins jalouse que son mari.
C'est meilleur. / C'est pire.
C'est mieux.

RESSEMBLANCE

Ça ressemble à quoi ?

C'est la même chose.
C'est pareil.
Ça revient au même.
Ils sont semblables / identiques / analogues.
Ça ressemble à…
On dirait…

se ressembler comme deux gouttes d'eau = être absolument semblables
c'est du pareil au même (FAM.) = c'est la même chose

DIFFÉRENCE

Ce n'est pas la même chose.
C'est différent.
Ça n'a rien à voir.

DIALOGUES

Le copain de Sandrine

MAUD : T'as vu* le nouveau copain de Sandrine ?

PAULINE : Non. Raconte ! Il est comment ?

MAUD : C'est un grand brun, frisé. Il est d'origine italienne.

PAULINE : Il est beau ?

MAUD : Pas mal du tout. Assez athlétique. Il fait de la muscu**. Un peu le genre Matt Dillon, en plus jeune. Tu vois ?

PAULINE : Ah, ouais ! Et il a l'air sympa ?

MAUD : Oui, il rit tout le temps. Ils s'entendent bien tous les deux.

PAULINE : Elle l'a rencontré où ?

MAUD : Ils sont dans la même classe, en terminale.

PAULINE : Je ne comprends pas comment Sandrine a trouvé un mec pareil. Elle qui est toute petite et maigre comme un clou.

MAUD : Tu ne serais pas un peu jalouse, toi ?

* tu as vu – ** musculation

Au bureau des objets trouvés

MME THIBAULT : Bonjour, madame. J'ai perdu mon parapluie hier. Est-ce que quelqu'un l'aurait retrouvé ?

L'EMPLOYÉE : Nous allons voir. Où l'avez-vous perdu exactement ?

MME THIBAULT : Dans le bus 38, du côté de la gare du Nord.

L'EMPLOYÉE : Comment est-il ?

MME THIBAULT : Il est assez grand, gris…

L'EMPLOYÉE : Le manche est en quelle matière ?

MME THIBAULT : En bois clair.

. . . .

L'EMPLOYÉE : C'est celui-ci ?

MME THIBAULT : Ah, non ! Le mien est en meilleur état et plus foncé, presque noir. Tenez ! C'est celui d'à côté. Je le reconnais.

L'EMPLOYÉE : Impossible, madame. Nous l'avons depuis une semaine.

Portrait-robot – au commissariat

L'INSPECTEUR : Alors, madame, décrivez-moi votre agresseur.

MME THOMAS : C'était un homme d'un certain âge, à l'allure bizarre.

L'INSPECTEUR : Quel âge a-t-il environ ?

MME THOMAS : Je ne sais pas, une soixantaine d'années. Il n'était pas très grand.

L'INSPECTEUR : Quelle est la couleur de ses cheveux ?

MME THOMAS : Il était un peu chauve, avec des cheveux blancs. Il avait aussi une longue barbe blanche.

L'INSPECTEUR : Et ses yeux ?

MME THOMAS : Il avait les yeux bleus.

L'INSPECTEUR : Bien. Et comment était-il habillé ?

MME THOMAS : Il portait un long manteau rouge.

L'INSPECTEUR : Rouge ? Vous en êtes sûre ?

MME THOMAS : Oui, il était déguisé en Père Noël. Je ne vous l'avais pas dit ?

Chez le médecin

LE DOCTEUR : Entrez, monsieur Lefèvre. Qu'est-ce qui vous arrive ?

M. LEFÈVRE : Je pense que j'ai un début de grippe. J'ai mal à la tête et un peu de fièvre. J'avais 38 ce matin.

LE DOCTEUR : Vous n'êtes pas vacciné ?

M. LEFÈVRE : Non.

LE DOCTEUR : Bien. On va voir ça. Retirez votre chemise. Je vais vous ausculter.

. . . .

LE DOCTEUR : Toussez !

M. LEFÈVRE : Hum ! Hum !

LE DOCTEUR : Plus fort !

M. LEFÈVRE : Hum ! Hum ! Hum !

LE DOCTEUR : Ne respirez plus !

. . . .

LE DOCTEUR : Merci. Vous pouvez respirer. Je vois ce que c'est.

M. Lefèvre : C'est grave, docteur ?

Le docteur : Non. Simplement une rhino-pharyngite. Un gros rhume, quoi ! Je vais vous faire une ordonnance.

À la pharmacie

La pharmacienne : Bonjour, monsieur.

Le client : Bonjour, madame. Je voudrais quelque chose pour mes épaules. J'ai assez mal là. *(Il désigne son épaule droite.)*

La pharmacienne : Vous préférez une pommade ou des comprimés ?

Le client : Qu'est-ce que vous me conseillez ?

La pharmacienne : Je peux vous donner une boîte de Nurovic.

Le client : C'est efficace ?

La pharmacienne : Oui, vous prenez trois comprimés par jour, un avant chaque repas pendant une semaine.

Le client : Bien, merci. Je vous dois combien ?

La pharmacienne : 6,30 euros, s'il vous plaît.

Les retrouvailles

Philippe : Eh, Marc. C'est toi ?

Marc : Excusez-moi. On se connaît ?

Philippe : Mais, oui. C'est moi, Philippe. Tu ne me reconnais pas ?

Marc : Philippe ! Ça fait un bail* ! Tu as changé, dis donc. Tu as maigri, non ?

Philippe : Oui, j'ai pris un coup de vieux après mon divorce. Et mes cheveux ont blanchi.

Marc : Ah ! Tu as divorcé. Je ne savais pas…

Philippe : Et toi, tu n'as pas changé. Toujours le même. Encore célibataire ?

Marc : Oui. Mais je vis avec mon amie, Élodie…

Philippe : Ah ! Ah ! Tu vas me raconter ça. Allez, viens. On va prendre un verre pour fêter nos retrouvailles.

* *ça fait longtemps*

DISCUTER

PRENDRE LA PAROLE
Engager la conversation
Amorcer une histoire
Annoncer une nouvelle
Garder la parole
DEMANDER DE PARLER MOINS
FORT
Demander de se taire
AJOUTER UNE IDÉE
Faire référence à un thème
Attirer l'attention sur un point
Faire une digression
COMPRENDRE
S'assurer qu'on est compris
Dire qu'on a compris
Dire qu'on n'a pas compris
Faire préciser une idée
Demander des précisions sur
un mot
Préciser / rectifier
S'expliquer
CONFIRMER
Insister

CONTREDIRE
INTERROGER
Demander une information
Susciter une question
Hésiter
Exprimer sa méconnaissance
ARTICULER SON DISCOURS
Exprimer une alternative
Marquer une opposition
Faire une concession
Généraliser
Justifier son point de vue
NUANCER UN PROPOS
PLAISANTER
RAPPORTER LES PAROLES
D'UNE PERSONNE
CONCLURE
Résumer
Exprimer une conséquence
Donner la parole
PRENDRE LA PAROLE DANS UN
CONTEXTE PROFESSIONNEL

OFFICE DE
TOURISME

À l'Office de Tourisme

L'EMPLOYÉE : Bonjour, monsieur.

UN TOURISTE : Bonjour, madame. Je cherche un hôtel pour cette nuit.

L'EMPLOYÉE : Oui, quelle catégorie ?

LE TOURISTE : Pardon ?

L'EMPLOYÉE : Deux étoiles ? trois étoiles ?

LE TOURISTE : Deux étoiles.

L'EMPLOYÉE : Dans quel quartier ?

LE TOURISTE : Je n'ai pas bien compris. Vous pouvez parler plus
lentement, s'il vous plaît ?

L'EMPLOYÉE : Vous voulez un hôtel dans le centre ?

LE TOURISTE : Oui.

L'EMPLOYÉE : Vous avez des chambres à l'hôtel Flaubert, rue Flaubert.

LE TOURISTE : Flaubert ? Ça s'écrit comment ?

L'EMPLOYÉE : F.L.A.U.B.E.R.T. Il est situé derrière la mairie.

LE TOURISTE : Bien. Merci, madame.

Prendre la parole

ENGAGER LA CONVERSATION

J'ai quelque chose à vous dire.	J'ai quelque chose à te dire.
Je ne vous dérange pas ?	Je ne te dérange pas ?
Je peux vous demander quelque chose, s'il vous plaît ?	Je peux te demander quelque chose ?
Je peux vous parler ?	Je peux te parler ?
	Dis donc, je voulais te demander une chose…
	Écoute, il faut que je te dise…

Prendre la parole dans une conversation déjà commencée

Je voudrais juste dire un mot.

Moi, je pense que…

Si je puis me permettre…

couper la parole = interrompre quelqu'un

AMORCER UNE HISTOIRE

Il faut que je vous raconte…	Il faut que je te raconte…
	J'ai quelque chose à te raconter.
	Je ne t'ai pas raconté ?
	Tu connais la dernière ?

avoir la langue bien pendue = être bavard

être mauvaise langue *ou* avoir une langue de vipère = dire du mal des autres

ANNONCER UNE NOUVELLE

Il paraît qu'Antoine va se marier. (= J'ai entendu dire que…)

J'ai une bonne / mauvaise nouvelle.

Voilà ce qui s'est passé…

Figurez-vous que Stéphane a démissionné.	Figure-toi que Stéphane a démissionné.

Vous savez que nous allons déménager ?	Tu sais que nous allons déménager ?
Vous saviez que Jérôme était en deuxième année de médecine ?	Tu savais que Jérôme était en deuxième année de médecine ?
Vous êtes au courant ?	Tu es au courant ?
Nous vous informons que le train n° 547 à destination de Lyon partira du quai 8.	J'ai un truc à te dire.
J'ai le plaisir de vous informer que votre candidature a été retenue.	Tu connais la meilleure ?
	Tu ne sais pas ce qui m'est arrivé ?

GARDER LA PAROLE

Je peux continuer ?

Vous permettez que je termine ?   Je peux finir ?
Tu m'écoutes ?
Tu permets que je termine ?

Demander de parler moins fort

Moins fort, je n'entends rien.

Ne parlez pas si fort !
Pardon, monsieur, pourriez-vous parler moins fort ?

DEMANDER DE SE TAIRE

Chut !
Silence !

Taisez-vous !   Tais-toi !
Un peu de silence, s'il vous plaît !   Fermez-la ! / Ferme-la ! (TRÈS FAM.)
Vos gueules ! (TRÈS FAM.)

---

rester sans voix : *Ne rien dire parce qu'on est surpris.*
ne pas souffler mot = garder le silence
être muet comme une tombe = garder un secret
motus et bouche cousue : *Quand on demande à quelqu'un de garder le secret.*

Ajouter une idée

Après, / **Ensuite**, / **Et puis**, je vais au cinéma.

De plus, / **En plus**, cela coûte très cher.

En outre, cela me semble important.

FAIRE RÉFÉRENCE À UN THÈME

À ce propos, / **À ce sujet**, je dois vous dire que la réunion est à 14 h.

Au sujet de, / **Quant à** votre promotion, nous en discuterons plus tard.

En parlant de ça, j'ai fait un drôle de rêve.

ATTIRER L'ATTENTION SUR UN POINT

J'attire votre attention sur le fait que je n'ai pas encore été payé(e).

Remarquez qu'il n'a rien promis.

Je voudrais vous faire remarquer que c'est de ma responsabilité.

N'oubliez pas que le rendez-vous est à 9 heures.

Je te signale que tu n'as pas toujours dit ça.

Je voudrais te faire remarquer que c'est de ma responsabilité.

N'oublie pas que le rendez-vous est à 9 heures.

FAIRE UNE DIGRESSION

À propos, tu as vu Antoinette dernièrement ?

Au fait, tu as des nouvelles de Christine ?

Ça me fait penser que je dois acheter des timbres.

passer du coq à l'âne = changer brusquement de sujet
Revenons à nos moutons ! : *Pour revenir au sujet.*

Comprendre

S'ASSURER QU'ON EST COMPRIS

C'est clair ?
D'accord ?

Vous comprenez (ce que je veux dire) ?	Tu comprends (ce que je veux dire) ?
Vous voyez ?	Tu vois ?

DIRE QU'ON A COMPRIS

C'est clair.
J'ai compris.
Je comprends.
Pas de problème.

DIRE QU'ON N'A PAS COMPRIS

Si vous avez mal entendu

Je n'ai pas (bien) compris.
Pardon ?
Comment ?

Pourriez-vous parler plus fort !	Tu peux répéter ?
Vous pouvez répéter ?	Excuse-moi, je n'ai pas compris.
Excusez-moi, je n'ai pas compris.	Quoi ? / Hein ?
	Le quoi ? / Le combien ?
	Qui ça ?/ Comment ça ? / Où ça ? / Quand ça ?
	Dans ces phrases, ça *fait entendre qu'on n'a pas compris.*

Si vous ne comprenez pas le mot

Je ne comprends pas ce mot.
Qu'est-ce que ça veut dire / ça signifie ?

Pourriez-vous parler plus lentement ?

FAIRE PRÉCISER UNE IDÉE

C'est-à-dire ?

Si j'ai bien compris,…

Qu'est-ce que vous voulez dire (par là) ?	Qu'est-ce que tu veux dire (par là) ?
Vous pouvez préciser ?	Tu peux préciser ?
Vous avez bien dit que… ?	Tu as bien dit que… ?
Soyez plus explicite !	Sois plus clair !

DEMANDER DES PRÉCISIONS SUR UN MOT

Comment ça se prononce ?

Comment est-ce qu'on dit… ?

Comment peut-on traduire… ?	Ça s'écrit comment ?
Vous pouvez épeler ?	

PRÉCISER / RECTIFIER

À vrai dire, elle est plutôt mécontente.

Je pensais le faire en un quart d'heure. **En fait**, c'est beaucoup plus long.

Je croyais qu'elle était anglaise ; **en réalité**, elle est australienne.

En d'autres termes, vous n'êtes pas satisfait.	**Je veux dire que** c'est très important.

S'EXPLIQUER

Ce n'est pas ce que je voulais dire.

Je crois que je n'ai pas été assez clair.

Je voulais dire que…

Laissez-moi vous expliquer !	Laisse-moi t'expliquer !
Je me suis mal exprimé.	Ce que je voulais dire, c'est que…
	Tu n'as pas compris ce que j'ai dit.

Confirmer

DEMANDER UNE CONFIRMATION

C'est entendu ?

C'est toujours d'accord ?

Vous me rappelez pour confirmer ?

Tu me rappelles pour confirmer ?

CONFIRMER

C'est entendu.

Je vous confirme notre rendez-vous.

Je te confirme notre rendez-vous.

Je vous rappelle pour confirmer notre rendez-vous.

Je te rappelle pour confirmer notre rendez-vous.

Comme convenu,...

DEMANDER LA CONFIRMATION D'UNE INFORMATION

C'est vrai ?

Vous parlez sérieusement ?

Tu parles sérieusement ?

INSISTER

Mais si !

Si, si ! *(Voir* **Oui / non / si**, *page 12.)*

Je vous assure.

Je t'assure.

Je te le dis.

Contredire

(Voir **Désapprouver**, *page 73.)*

En réalité,...

Contrairement à ce qui a été dit,...

Contrairement à ce que vous pensez,...

Ça n'empêche pas que...

Contrairement à ce que tu penses,...

C'est faux !

C'est vite dit.

L'un n'empêche pas l'autre.

Interroger

Pour poser une question, les structures les plus employées sont :

Qui : Qui est-ce ?

Qu'est-ce que : Qu'est-ce que vous faites ?

Quoi : Avec quoi est-ce que vous écrivez ?

Quel(les) : Quelle heure est-il ?

Quand : Quand partez-vous en vacances ?

Où : Tu habites où ?

Comment : Comment allez-vous au travail ?

Pourquoi : Pourquoi est-ce qu'elle est partie ?

Avec **quand**, **où** *et* **comment**, *quatre formes sont en général possibles :*

Où est-ce que vous allez / tu vas ?

Vous allez / tu vas où ?

Où allez-vous ? Où tu vas ?

DEMANDER UNE INFORMATION

Comment ça s'est passé ?

Est-ce que je peux vous demander où vous avez acheté votre robe ?

Est-ce que vous connaissez un bon hôtel à La Rochelle ?

Est-ce que vous pourriez me renseigner ?

J'aurais besoin d'un renseignement.

Je voudrais une information.

Je voudrais savoir s'il y a encore des places pour ce concert ?

Savez-vous si le train de 16 h 45 s'arrête à Poitiers ?

J'aurais voulu savoir si l'entrée est / était payante.

Tu peux me dire qui a composé cette chanson ?

Tu n'as pas la recette de la ratatouille ?

Tu connais l'adresse de M. Nguyen ?

Tu sais si la radio est réparée ?

SUSCITER UNE QUESTION
Oui ?

C'est à quel sujet ?

Je peux vous aider ?

Vous désirez ?

une question piège : *Une question à laquelle il est difficile de répondre.*

HÉSITER
À l'oral, les Français, lorsqu'ils hésitent, utilisent :

Ben…

Euh !

C'est-à-dire que…

avoir un mot sur le bout de la langue : *Quand un mot que vous connaissez vous manque.*

EXPRIMER SA MÉCONNAISSANCE
Je n'en ai pas la moindre idée.

Je n'en sais rien.

Je ne le / ne la connais pas. *(À propos d'une personne.)*

Je ne sais pas (du tout).

Je l'ignore.   Aucune idée.

Articuler son discours

EXPRIMER UNE ALTERNATIVE
Il y a plusieurs possibilités.

D'un côté, sur la côte, il y a du soleil, **de l'autre**, dans l'arrière-pays, il y a moins de touristes.

Ou on reste, **ou** on va au cinéma.

Dans ce magasin, **ou bien** c'est cher, **ou bien** c'est de mauvaise qualité.

On partira **soit** en Provence, **soit** en Bretagne.

MARQUER UNE OPPOSITION

Elle a un bon salaire **mais** la vie est très chère ici.

Il a dépassé l'âge de la retraite ; **malgré ça**, il continue à travailler.

Il fait très beau ici ; **par contre**, il pleut sur la côte nord.

Elle s'est cassé la jambe, mais elle conduit **quand même**.

Ils se détestent, **cependant** on les voit toujours ensemble.

Il est paresseux. **En revanche,** son frère est vraiment brillant.

Il n'est pas très intelligent. **D'un autre côté**, il a beaucoup de charme.

FAIRE UNE CONCESSION

Il est vrai que ce cas est compliqué.

J'admets / J'avoue que je n'y avais pas pensé.

Je comprends que vous disiez cela.

GÉNÉRALISER

En général, les Français mangent beaucoup de pain.

D'une façon générale, en Europe, les marchandises circulent librement.

En règle générale, on peut voter à 18 ans.

JUSTIFIER SON POINT DE VUE

Justement.

Ça prouve que j'ai raison.

La preuve, (c'est que) tout le monde m'a soutenu(e).

Nuancer un propos

À dire vrai, ce n'est pas un cyclone, c'est plutôt une tempête.

C'est beaucoup dire.

Ce n'est pas aussi simple.

Il ne faut pas généraliser.

Il ne faut rien exagérer.

Plaisanter

Si vous voulez dire que vous plaisantez

C'est une blague / plaisanterie.

Je plaisante.

C'est pour rire !

> avoir le fou rire = ne pas pouvoir s'empêcher de rire
> rire aux éclats = rire bruyamment

Rapporter les paroles d'une personne

Il m'a dit qu'il viendrait dimanche.

Il m'a demandé si j'étais français(e).

Il a voulu savoir si nous étions satisfaits.

Il m'a répondu qu'il ne pouvait rien faire.

À la place du verbe dire

Si vous voulez marquer la certitude : **affirmer / assurer / certifier / confirmer.**

Il affirme qu'il est innocent.

Pour une information : **avertir / indiquer / informer / prévenir.**

Elle m'a averti qu'elle ne pourrait pas venir demain.

Pour une histoire : **raconter.**

Il m'a raconté comment il avait rencontré sa femme.

Pour un secret : **confier / révéler.**

Elle m'a confié qu'elle était amoureuse de Bruno.

Pour une explication : **expliquer / préciser.**

Elle nous a expliqué comment aller à la plage.

Si c'est officiel : **déclarer.**

Il a déclaré qu'il serait candidat aux élections présidentielles.

Si la personne parle fort : **s'exclamer / crier.**

Elle lui a crié de faire attention.

Si elle parle bas : **chuchoter / murmurer.**

Il lui a murmuré qu'il l'aimait.

Conclure

En définitive, vous prenez cet appartement ou non ?
En fin de compte, vous partez en juillet ou en août ?
Finalement, il est parti avec eux ?

RÉSUMER

Bref, nous avons dû faire marche arrière.
En résumé, il faut revoir entièrement la question…
Pour résumer la situation,…
En somme, il refuse de payer ?

EXPRIMER UNE CONSÉQUENCE

Il a une forte grippe. **Alors**, il est resté chez lui.

Elle veut se perfectionner en informatique. **C'est pourquoi** elle suit un stage.

Elle est étudiante. **De ce fait**, elle a droit à une réduction.

Il est pompier. Il prend **donc** beaucoup de risques tous les jours.

Il y a du verglas ; **par conséquent**, il faut être prudent.

Pour toutes ces raisons, je vous demande de voter Lamartine au second tour.

Le bus est tombé en panne. **C'est pour ça que** je suis en retard.

DONNER LA PAROLE

De quoi s'agit-il ?	Alors ?
Qu'est-ce que vous vouliez me dire ?	Qu'est-ce que tu voulais me dire ?
Et vous, qu'en pensez-vous ?	Allez, raconte !
	Et toi, qu'en penses-tu ?
	Et toi, ton avis ?

Prendre la parole dans un contexte professionnel

Voici quelques expressions pouvant être utilisées dans le cadre d'une réunion de travail ou au cours d'un exposé.

COMMENCER UN EXPOSÉ / UNE DISCUSSION

D'abord, / Tout d'abord,…

Dans un premier temps,…

Je voudrais que nous commencions par discuter de…

Le premier point à l'ordre du jour est…

PRENDRE LA PAROLE DANS UNE CONVERSATION DÉJÀ COMMENCÉE

Désolé(e) de vous interrompre, mais…

Je demande la parole.

Je voudrais ajouter un point.

Je voudrais intervenir.

CHANGER DE SUJET

Je crois que nous avons tout dit.

Je n'ai rien à ajouter.

Passons à autre chose.

Passons au point suivant.

FAIRE UNE DIGRESSION

Juste une parenthèse !

REVENIR AU SUJET

Pour revenir à la question.

ÉVITER DE RÉPONDRE

Gagner du temps

C'est une remarque très
intéressante.

Vous venez de soulever un
point important.

Remettre à plus tard

Il me semble que ça vaut la
peine d'y réfléchir.

Il nous faudrait d'autres
renseignements.

GARDER LA PAROLE

Laissez-moi terminer / finir.

CONCLURE

En conclusion,...

J'attends vos questions.

Pour conclure, je dirai que...

DONNER LA PAROLE

C'est à vous.

La parole est à madame Roland.

Y a-t-il des questions ?

DIALOGUES

Un étranger à Paris

MARIA : Faites attention, monsieur,
votre sac à dos est ouvert.

UN TOURISTE : Comment ?

MARIA : Votre sac à dos est ouvert.

LE TOURISTE : Je ne comprends pas.
Vous pouvez répéter ?

MARIA : Votre sac à dos. Il est ouvert.

LE TOURISTE : Mon quoi ?

MARIA : Votre sac. Il est ouvert. *(Elle montre le sac.)*

LE TOURISTE : Tout vert ? Qu'est-ce que ça veut dire ?

ANNIE : Allez viens, Maria, laisse tomber.

L'interrogatoire

EMMA FRÈCHE : On peut savoir à quelle heure tu es rentré cette nuit ?

GILLES FRÈCHE : À deux heures du matin, je crois.

EMMA FRÈCHE : Et qu'est-ce que tu faisais dehors à une heure pareille ?

GILLES FRÈCHE : Je revenais de la discothèque.

EMMA FRÈCHE : Et tu étais avec qui ?

GILLES FRÈCHE : Avec Sophie.

EMMA FRÈCHE : Sophie ? Qui est-ce ?

GILLES FRÈCHE : Une collègue de travail.

EMMA FRÈCHE : Ah, bon ! Et que font ses parents ?

GILLES FRÈCHE : Mais maman, tu exagères ! J'ai trente-deux ans, quand même !

J'ai un truc à te dire

CLAUDE : Ah, Alain ! tu connais la meilleure ?

ALAIN : *(Silence.)*

CLAUDE : Alain, je peux te parler ?

ALAIN : Un moment, je suis occupé.

CLAUDE : Je voudrais juste te dire un mot.

ALAIN : Chut !

CLAUDE : J'ai quelque chose d'important à te dire.

ALAIN : Tais-toi. Tu ne vois pas que je finis mon rapport pour la direction ?

CLAUDE : Justement. Figure-toi que le projet est abandonné. Tu peux t'arrêter.

CHAPITRE **4**

DONNER SON AVIS / EXPRIMER SON OPINION

Voyage à Paris

M. VERDON : Il est possible que j'aille à Paris le week-end prochain.
C'est la première fois. Que me conseillez-vous ?

M. LAMBERT : En cette saison, il faut que vous preniez des vêtements
chauds.

M. VERDON : Oui.

M. LAMBERT : Emportez aussi un imperméable et un parapluie.

M. VERDON : Oui, et quoi d'autre ?

M. LAMBERT : Si j'étais vous, je ne prendrais pas l'avion, il est
toujours en retard.

M. VERDON : Ah, bon ?

M. LAMBERT : Oui. Et là-bas, faites attention à votre portable !
Il y a beaucoup de vols en ce moment.

M. VERDON : Ah, oui ?

M. LAMBERT : Oui, oui. Méfiez-vous !

M. VERDON : Bon, je vous remercie mais je crois que je vais rester à
Toulouse. C'est plus sûr.

DONNER SON AVIS / EXPRIMER SON OPINION

Demander son avis à quelqu'un

À votre avis, est-ce que c'est intéressant ?

J'aimerais avoir votre avis.

Pouvez-vous m'expliquer pourquoi il a fait cela ?

Qu'en pensez-vous ?

Qu'est-ce que vous en pensez ?

Qu'est-ce que vous dites de ça ?

À ton avis, qu'est-ce que nous pouvons faire ?

Je peux avoir ton avis ?

Qu'est-ce que tu en penses ?

Tu penses que c'est bien ?

Tu crois que ça en vaut la peine ?

Donner son avis / exprimer son opinion

À mon avis, c'est le premier le meilleur.

D'après moi, il repartira en juin.

En ce qui me concerne, je n'aime pas la chasse.

Il me semble que l'autre est plus clair.

J'ai l'impression qu'il va pleuvoir.

Je crois qu'il exagère.

Je pense que c'est mieux le lundi.

Je trouve qu'il a bien parlé.

J'ai changé d'avis.

J'estime que c'est inutile.

Pour ma part, je préfère le train.

Si vous voulez mon avis, il vaut mieux s'arrêter là.

Ça ne m'étonnerait pas qu'il y ait de la neige à Noël.

Si tu veux mon avis, prends les noires.

> une idée fixe = une idée obsessionnelle
> un lieu commun = un cliché, un préjugé
> se faire des idées = imaginer quelque chose de faux
> taper / tomber dans le mille = trouver la bonne réponse

Demander à quelqu'un son approbation

C'est bien comme ça ?

J'ai bien fait, non ?

Vous êtes d'accord avec moi ?

D'accord ?

Tu es d'accord avec moi ?

Exprimer son approbation / sa désapprobation

EXPRIMER SON APPROBATION

 À la place de oui, *les Français utilisent souvent:*
Absolument. / Effectivement. / En effet. / Exactement.
Tout à fait.
On peut aussi dire:
Bien entendu. / Bien sûr. / C'est vrai. / Évidemment. /
Je suis (entièrement) d'accord.

Vous avez bien fait.	Bien sûr que oui.
Vous avez (bien) raison.	C'est ça.
	Tu as bien fait.
	Tu as raison.

---

donner le feu vert à quelqu'un : *Donner l'autorisation de faire quelque chose.*

donner carte blanche : *Laisser quelqu'un agir comme il le souhaite.*

PARTAGER UN POINT DE VUE

C'est aussi mon avis.
Nous sommes du même avis.

Je pense comme vous.	Je suis d'accord avec toi.
Je suis de votre avis.	Je pense comme toi.
Nous avons la même approche de la question.	Je suis de ton avis.
Nous sommes en tous points d'accord.	

APPROUVER UN POINT DE VUE EN ÉMETTANT DES RÉSERVES

C'est bien possible.
Je n'ai rien contre.
Peut-être bien.

Je suis partiellement d'accord.	Ça se peut.
	Mouais…

ADOPTER UNE POSITION NEUTRE
Ça m'est égal.
Ça n'a pas d'importance.
Peu importe.
Je ne sais pas.

EXPRIMER SA DÉSAPPROBATION
Je ne suis pas d'accord.
Je crois que non.
Ce n'est pas vrai.
Absolument pas.
Bien sûr que non.

J'en doute.
Je ne partage pas votre avis.
Nous n'avons pas la même opinion.

Tu as tort.
Tu te trompes.
Quelle drôle d'idée !

Si vous voulez être plus direct

Vous avez tort !
Vous plaisantez ?
Vous vous trompez.

Tu plaisantes ?
Tu rigoles ?
Et puis quoi encore ?
Jamais de la vie.

se mettre le doigt dans l'œil (FAM.) = se tromper
être à côté de la plaque (FAM.) = se tromper totalement

DÉSAPPROBATION ATTÉNUÉE
Ce n'est pas sûr.
Je me le demande.
Je ne suis pas tout à fait d'accord.
Pas vraiment.
Pas toujours.
Pas tout à fait.

Exprimer la certitude / le doute

METTRE EN DOUTE

C'est vrai ?

Croyez-vous vraiment que... ?   Pas possible ?

Vous en êtes sûr(e) ?   Tu (en) es sûr(e) ?

EXPRIMER LA CERTITUDE

C'est clair !

C'est évident !

C'est sûr !

C'est certain !

Il n'y a pas de doute.

J'en suis certain(e).

J'en suis sûr(e).

Je le sais.

J'en suis persuadé(e).

Sans aucun doute.

Attention, contrairement aux apparences, **sans doute** *et* **sûrement** *n'expriment qu'une probabilité :* **je viendrai sans doute te voir demain** *(si c'est possible).*

Si vous voulez montrer une certitude, utilisez **sans aucun doute.**

Il est bien entendu que...   Je t'assure.

Je vous assure.

j'en mettrai ma main à couper /
j'en mets ma main au feu = j'en suis sûr(e)

RECONNAÎTRE QU'ON A TORT

Excusez-moi, je me suis trompé(e).

je me suis planté(e) (FAM.) = je me suis trompé(e)

EXPRIMER LE DOUTE

Ça dépend.

Pas forcément.

J'hésite.

J'ai un doute.

J'en doute.

Je ne suis pas convaincu(e).

Je n'en suis pas (si) sûr(e).

Je suis sceptique.

Je n'y crois pas trop.   À ce qu'il paraît…

Pour un doute plus fort

C'est surprenant !

Ça m'étonne.

Ça m'étonnerait !

Exprimer la possibilité / la probabilité

POSSIBILITÉ

C'est (bien) possible.

Il est (bien) possible que cela se soit passé ainsi.

Il n'est pas impossible qu'il dise la vérité.

Il se pourrait bien qu'il neige.

Éventuellement.

Peut-être !

C'est faisable.

Y a des chances qu'il pleuve ce soir. (= Il est possible qu'il…)
Ça se peut.

IMPOSSIBILITÉ

Ce n'est pas possible.

C'est impossible.

C'est exclu.

C'est hors de question.

Il y a peu de chances que cela arrive.

PROBABILITÉ

C'est probable.

Probablement !

Sans doute.

(Voir **Exprimer la certitude***, page 74.)*

Vous pouvez aussi utiliser le verbe **devoir** *:*

Il n'est pas encore arrivé, il doit être malade.

(= J'imagine qu'il est malade.)

IMPROBABILITÉ

C'est improbable.

C'est peu probable.

Se souvenir / oublier

SE SOUVENIR

Je me rappelle ma visite à Rome.

Je me souviens de son arrivée.

Je ne l'oublierai pas.

avoir une mémoire d'éléphant = avoir une très bonne mémoire

OUBLIER

Je ne me rappelle pas.

Je ne m'en souviens pas.

Ça ne me dit rien.

avoir la mémoire courte = oublier vite

avoir un trou de mémoire = ne pas se souvenir de quelque chose

RAPPELER QUELQUE CHOSE À QUELQU'UN

Je vous rappelle que vous êtes invité(e) demain.

Je te rappelle que c'est l'anniversaire de papa.

N'oubliez pas que vous avez un rendez-vous à huit heures.

N'oublie pas de rapporter du pain.

Vous vous souvenez du nom du client de Bruxelles ?

Tu te souviens de notre rencontre ?

Conseiller

DEMANDER UN CONSEIL

J'ai besoin d'un conseil.

Je me demande ce que je dois faire.

Je voudrais que vous me donniez votre avis.

Je voudrais vous demander un conseil.

Que me conseillez-vous de faire ?

À ma place, que feriez-vous ?

Vous avez une suggestion ?

Je voudrais que tu me donnes ton avis.

Qu'est-ce que tu ferais à ma place ?

Tu as une idée ?

DONNER UN CONSEIL

Il vaudrait mieux partir tôt.

Je vous conseille de prendre vos billets à l'avance.

Je pense que vous pourriez lui téléphoner.

Je vous recommande le menu.

Il faudrait vous reposer.

Vous devriez dormir plus.

Vous pourriez le demander au marchand de journaux.

À votre place, je prendrais le TGV.

Si j'étais vous, je partirais aux Antilles.

Je te conseille d'y aller de bonne heure.

Si tu veux un conseil, arrête de fumer tout de suite.

Je pense que tu pourrais essayer.

Tu pourrais faire du camping.

Tu devrais travailler davantage.

Tu ferais mieux de te taire.

Il faut que tu lui en parles.

Rien ne t'empêche d'aller le voir.

À ta place, je ne dirais rien.

Je serais toi, je lui dirais la vérité.

Si j'étais toi, je prendrais la robe verte.

Y a qu'à prendre le bus.
(= Il n'y a qu'à…)

T'as qu'à lui dire que tu étais malade. (= Tu n'as qu'à…)

Pour donner un conseil à quelqu'un

Vous pouvez aussi utiliser :

– l'impératif (attention à l'intonation, ne soyez pas trop directif !)

Si tu as mal aux dents, va chez le dentiste.
Prenez le métro, c'est plus rapide.
– le présent de l'indicatif
C'est bien simple, tu téléphones et tu prends rendez-vous avec le docteur Richard.

DÉCONSEILLER

Ce n'est pas la peine.
Ça n'en vaut pas la peine.

Je ne vous le conseille pas.

Ce serait bête de faire ça.
Je ne te le conseille pas.
Tu ne devrais pas boire autant.

Mettre en garde

Attention !

Faites (bien) attention !
Je vous préviens que la route est verglacée.
Méfiez-vous. Ce virage est dangereux.
Soyez prudent(e) !

Fais (bien) attention !
Fais gaffe ! (= Fais attention !)
Je te préviens, ça peut être dangereux.
Méfie-toi de lui.
Sois prudent(e) !

Rassurer

Ça va aller !
Ce n'est rien.
Pas de problème.

N'ayez pas peur !
Ne vous inquiétez pas.
Ne vous en faites pas, je m'en occupe. (= Ne vous inquiétez pas.)
Soyez tranquille !
Vous pouvez compter sur moi.
(= Vous pouvez avoir confiance en moi.)
Comptez sur moi !

Ça va s'arranger !
N'aie pas peur !
Ne t'en fais pas, ça ira !
Ne t'inquiète pas.
Sois tranquille !
Tu vas voir, ça va marcher.
Tu peux compter sur moi.

DIALOGUES

Dans la cabine d'essayage

MME QUENTIN : Qu'est-ce que tu en penses ? Ça me va ?

M. QUENTIN : Oui, oui.

MME QUENTIN : Tu es sûr ?

M. QUENTIN : Oui, ne t'inquiète pas. Puisque je te le dis.

MME QUENTIN : C'est vrai ? C'est ma taille ?

M. QUENTIN : Oui, je t'assure.

MME QUENTIN : Bon. Je vais la prendre.

Chaussures

ANNIE : À ma place, tu prendrais lesquelles ? Les marron ou les noires ?

ROMANE : Prends plutôt les noires !

ANNIE : Tu crois ?

ROMANE : Mais oui. Fais-moi confiance.

ANNIE : Hum… mademoiselle ! Je vais prendre les marron.

Baccalauréat

LE PÈRE : Francis, tu penses que tu auras ton bac* ?

FRANCIS : Mais oui, papa, tu vas voir. Ça va marcher.

LE PÈRE : Je suis un peu inquiet pour toi ; tu n'as pas vraiment révisé les maths**.

FRANCIS : T'en fais pas, j'ai un bon niveau.

LE PÈRE : Mouais. J'espère que tu as raison.

*baccalauréat : examen de fin d'études secondaires avant l'entrée à l'université
** mathématiques

Retrouvailles

M. MONNIER : Bonjour, monsieur. Nous nous sommes déjà vus quelque part, non ? Je n'ai pas la mémoire des noms… Vous êtes monsieur Dou… Doublet ?

M. DOUCET : Doucet. Oui. Votre visage me dit quelque chose, mais…

M. MONNIER : Vous ne vous souvenez pas de moi ? Frédéric Monnier ? Nous nous sommes rencontrés à la conférence de Genève.

M. DOUCET : Ah, oui ! Je me rappelle maintenant. Vous étiez un des rapporteurs.

M. MONNIER : Effectivement.

Au garage

LE CLIENT : Bonjour, monsieur. J'ai eu un petit accrochage. Vous pourriez réparer le pare-chocs ?

LE GARAGISTE : Oui… C'est faisable.

LE CLIENT : J'ai absolument besoin de ma voiture. C'est possible pour demain matin ?

LE GARAGISTE : Oh ! là, là ! Ça dépend des pièces. Nous avons beaucoup de travail en ce moment.

LE CLIENT : Demain après-midi, alors ? C'est très important.

LE GARAGISTE : Vous êtes tous les mêmes, toujours pressés. Éventuellement vers 18 heures. Mais je ne vous promets rien.

Micro-trottoir

LE JOURNALISTE : Monsieur, pensez-vous que l'équipe de France de rugby va remporter la prochaine Coupe du Monde ?

UN SPORTIF : Oui, bien sûr !

LE JOURNALISTE : Et vous ?

UN PASSANT : Je suis d'accord avec monsieur, ce sont les meilleurs.

LE JOURNALISTE : Mesdames, pensez-vous que l'équipe de France de rugby va remporter la prochaine Coupe du Monde ?

UNE VENDEUSE : C'est probable.

1re CLIENTE : J'en doute, les Australiens sont très forts.

2e CLIENTE : Moi, je ne sais pas. Je m'en fiche* complètement.

LE JOURNALISTE : Monsieur, pensez-vous que l'équipe de France de rugby va remporter la prochaine Coupe du Monde ?

UN CYCLISTE : Je n'y crois pas trop. Je suis sceptique.

* *ça ne m'intéresse pas*

EXPRIMER
DES SENTIMENTS

Inquiétude

Mme Guérin : Ah, Paul ! Te voilà ! Je suis inquiète pour Sophie, elle n'est pas encore rentrée.

M. Guérin : Elle est très en retard ?

Mme Guérin : Elle devrait être là depuis une heure.

M. Guérin : Arrête de te faire du mauvais sang. Tu te fais beaucoup trop de souci pour elle. C'est une grande fille maintenant.

Mme Guérin : Tiens ! j'entends son pas dans l'escalier.

M. Guérin : Tu vois, j'avais raison. Tu es rassurée maintenant ?

Mme Guérin : Ah, te voilà ! Où étais-tu ?

Sophie : Je suis allée chez Noémie. Elle voulait me montrer sa nouvelle guitare.

Mme Guérin : Tu aurais pu me prévenir ! Le téléphone, ça existe !

Pour exprimer un sentiment, vous pouvez utiliser des structures comme :

J'ai un sentiment de honte.
J'éprouve de la fierté / du chagrin.
Je ressens de la colère / du mécontentement.

Colère

Je suis furieux / furieuse.

Je suis excédé(e).   Je suis furax.

(Voir **Protester vigoureusement,** *page 130.)*

Quand quelqu'un montre sa colère

Il est agacé.
Elle s'énerve.
Il se fâche.
Elle se met en colère.
Il est en colère.
Il est furieux. / Elle est furieuse.
Il est fou de rage. / Elle est folle de rage.

Si c'est habituel

Il / Elle s'emporte facilement.

> ça me tape sur les nerfs **(FAM.)** = ça m'énerve
> monter sur ses grands chevaux = se fâcher
> être rouge de colère = être très en colère

Confiance / méfiance

CONFIANCE

J'ai confiance en lui / elle.
Je lui fais (entièrement) confiance.
Je suis confiant(e).

Je me fie à vous.   Je te fais confiance.

MÉFIANCE

Je me méfie de lui / d'elle.

Je suis méfiant(e).

Je ne lui fais pas confiance.

J'ai beaucoup de méfiance
envers lui.

Contentement / mécontentement

CONTENTEMENT

(Voir **Exprimer la satisfaction**, *page 113.)*

C'est (très) bien.

C'est parfait.

Je suis content(e) / enchanté(e) / ravi(e) de…

Je suis heureux / heureuse de…

Tant mieux !

MÉCONTENTEMENT

(Voir **Protester / reprocher**, *page 129.)*

Ça m'agace.

Ça m'ennuie.

Je suis ennuyé(e).

Je ne suis pas content(e) de lui.

Je suis mécontent(e) du résultat.   Zut !

Merde ! (TRÈS FAM.)

Déception

C'est une (véritable) déception.

Ça m'a vraiment déçu(e).

Je n'aurais jamais cru ça d'elle.

Je suis déçu(e).

Tant pis.

Émotion

J'éprouve une grande émotion.
Je suis ému(e).
Ça me bouleverse.

Ennui

*(Voir **Exprimer l'ennui**, page 119.)*
Je m'ennuie.
Je ne fais rien d'intéressant.

Je m'embête.
Je m'emmerde. (TRÈS FAM.)

Envie / jalousie

J'aimerais être à sa place.
Ça me fait envie.
Il est envieux. / Elle est envieuse.
Je suis jaloux / jalouse de lui.

J'éprouve de la jalousie.
Je vous envie.

être jaune d'envie = être très envieux
être vert de jalousie *ou* être jaloux comme un tigre = être très jaloux

Espoir / désespoir

ESPOIR

J'ai bon espoir.
J'ai de l'espoir.
J'espère que je réussirai.

Quelques expressions et proverbes pour ne pas désespérer :
La situation est critique mais pas désespérée.
L'espoir fait vivre.
Tant qu'il y a de la vie, il y a de l'espoir.

DÉSESPOIR

Je suis découragé(e).

C'est désespérant.

J'ai perdu mes illusions.

Gêne / embarras

C'est ennuyeux.

Ça me gêne / m'ennuie.

Je ne sais pas quoi dire.

Je ne sais pas quoi faire.

Je suis confus(e) / désolé(e) / ennuyé(e).

Attention **ennui** *a deux significations : l'ennui peut être un problème, un souci, ou bien l'absence d'intérêt.*

Humeur

Elle est comment aujourd'hui ?

Il a le moral ?

Elle garde le moral ?

Ça boume ?

Il est de bon poil ce matin ?

BONNE HUMEUR

Je suis de bonne humeur.

Je me sens de bonne humeur.

Il / Elle a l'air de bon poil.

se lever du bon pied = être de bonne humeur

MAUVAISE HUMEUR

(Voir **Peine / tristesse**, *page 88.)*

Je suis de mauvaise humeur.

Il est d'une humeur noire.

Elle est d'une humeur massacrante.

il ne s'est pas levé du bon pied
ou il s'est levé du pied gauche / du mauvais pied
= il est de mauvaise humeur
aujourd'hui, il n'est pas à prendre avec des pincettes
= aujourd'hui, il est de très mauvaise humeur

Indignation / révolte

(Voir **Protester vigoureusement**, *page 130.)*

Je suis indigné(e).
Je suis révolté(e).
Ça me révolte.
C'est insupportable !
C'est révoltant !

Je suis outré(e).   Je suis dégoûté(e).

Inquiétude / soulagement

INQUIÉTUDE / NERVOSITÉ

Ça m'inquiète / me préoccupe / me trouble / m'alarme.
Je suis inquiet (inquiète) / préoccupé(e) / soucieux
(soucieuse) / troublé(e).
Je me fais du souci pour elle.

C'est une préoccupation.   Ça me donne du souci.
J'éprouve de l'inquiétude.

se faire du mauvais sang = être très inquiet

SOULAGEMENT

Ça me calme / me tranquillise.
Je suis rassuré(e) / soulagé(e) / tranquillisé(e).
Tant mieux.

Je l'ai échappé belle.
On a eu chaud.
Ouf !

Joie

Je suis heureux (heureuse) / joyeux (joyeuse).

Je suis fier (fière) de lui.

Je me réjouis de votre bonheur.   C'est épatant ! / Chic ! / Chouette ! / Cool ! / Génial ! / Super !

être heureux comme un roi = être très heureux

Peine / tristesse

C'est malheureux / désolant / affligeant.

J'ai de la peine.

Je suis peiné(e) / triste / inconsolable.

C'est un grand malheur.

Quel malheur !

Cela m'attriste / me désole / me peine.   Ça me fait de la peine.

J'éprouve du chagrin / de la tristesse / de l'amertume.

ÊTRE DÉPRIMÉ(E)

Ça pourrait aller mieux.

Je n'ai pas le moral.

Ça ne va pas du tout.

Je suis déprimé(e).

Je suis abattu(e).

Ça m'angoisse.

J'en ai marre de tout.

Je déprime.

J'angoisse.

Pour dire qu'on n'a pas le moral :

avoir le cafard

avoir le moral à zéro

avoir le moral dans les chaussettes (FAM.)

CONSOLER

*(Voir **Rassurer**, page 78.)*

Ça arrive à tout le monde.

Ça va passer.

Ce n'est pas grave.

remonter le moral à quelqu'un = réconforter quelqu'un

SE CONSOLER

Ça me console.

C'est rassurant.

Ça me réconforte.

Peur

J'appréhende son retour.

Je ne suis pas rassuré(e).

Je préfère ne pas regarder.

Je redoute ses critiques.

J'ai peur.

Je suis anxieux (anxieuse) / épouvanté(e) / terrifié(e).

Ça me fait peur / me panique / me terrorise.

C'est angoissant / épouvantable / terrifiant.

Je panique.

C'est la panique.

J'ai été pris(e) de panique.

Je crains qu'il ne soit pas d'accord.

J'ai la frousse.

J'ai la trouille.

J'ai une de ces trouilles.

trembler de peur *ou* avoir une peur bleue : *Quand on a très peur.*

en être quitte pour la peur *ou* avoir plus de peur que de mal : *Avoir eu peur dans une situation mais s'en sortir sans dommage.*

Plaindre une personne

C'est triste.
Oh ! là, là !

Je vous plains.
Vous n'avez pas de chance.
Je suis désolé(e) pour vous.
Je compatis. (RECH.)

Je te plains.
C'est pas drôle.
C'est moche.
Mon pauvre ! / Ma pauvre !
Pauvre petit(e) !
Quelle déveine !
Tu n'as vraiment pas de veine !
Quel manque de pot !

CONDOLÉANCES

Toutes mes condoléances.

Je partage votre peine.

Je vous assure de toute ma sympathie

Je vous présente mes sincères condoléances.

Je vous présente toutes mes condoléances.

 Croyez à l'expression de toute ma sympathie.

 J'ai été profondément touché(e) par le décès de votre...

J'ai beaucoup de peine pour toi.

Se plaindre

J'en ai assez.

Si vous avez mal

(Voir page 39.)
Aïe !
Ce que j'ai mal !
J'ai un mal de tête insupportable.

Si vous êtes fatigué(e)

Je n'en peux plus !
Je suis mort(e) (de fatigue) !

J'en ai plein les bottes !
(= Je suis très fatigué(e).)
Je suis crevé(e) !

Si vous avez trop de travail

J'ai trop de travail.

Je n'y arrive plus !

Je suis débordé(e).

Si vous reprochez quelque chose à quelqu'un

(Voir **Exprimer un reproche**, page 129.)

Des fleurs, vous croyez qu'il m'en offrirait ?

Il ne peut pas faire attention !

Quel bruit !

Quelle odeur !

Oh ! ce type !

Tu ne te rends pas compte !

en avoir par-dessus la tête (FAM.) = ne plus pouvoir supporter quelque chose

Regret

C'est (vraiment) dommage !

Dommage !

Quel dommage !

Hélas !

Malheureusement !

Il est dommage qu'il ne puisse pas venir.

Je regrette que ce ne soit pas possible.

Je suis désolé(e) de ne pas la voir.

Je déplore cette situation.

C'est regrettable !

C'est bête / idiot / stupide !

C'est con ! (TRÈS FAM.)

SE REPROCHER QUELQUE CHOSE

J'ai eu tort.

J'ai honte.

J'ai des regrets / des remords.

J'aurais dû… / Je n'aurais pas dû… / Je n'aurais jamais dû accepter.

J'aurais mieux fait de rester à la maison.

Si j'avais su, j'y serais allé(e).

J'ai fait une bêtise.

Que je suis bête !

91

Surprise

Ah, bon ?

C'est étonnant.

C'est surprenant.

Ce n'est pas croyable !

Ce n'est pas possible ?

Ça alors !

Ça m'étonne.

Ça me surprend.

Comment ?

Incroyable !

Je n'aurais jamais cru ça de lui.

Je n'aurais jamais imaginé ça.

Je n'en crois pas mes yeux.

Je suis étonné(e) / surpris(e).

Oh !

Quelle surprise !

Tiens !

Vraiment ?

Je suis stupéfait(e).

Vous plaisantez ?

C'est une blague ?

C'est pas vrai ?

J'en reviens pas.

Quoi ?

Sans blague ?

Tu plaisantes ?

rester bouche bée : *Rester la bouche ouverte parce qu'on est surpris.*

Relations sentimentales

AMITIÉ

C'est un ami / une amie.

Je suis un ami / une amie de Tristan.

C'est un copain / une copine.

Je l'aime beaucoup.

Je l'aime bien.

Attention, **je t'aime** *est une déclaration d'amour tandis que* **je t'aime beaucoup** *fait référence à de l'amitié et* **je t'aime bien** *à de l'estime.*

Je l'estime beaucoup.

Je le / la respecte.

J'ai beaucoup d'affection pour lui / elle.

C'est un pote.

J'ai de l'amitié / de l'estime / du respect pour lui / elle.

 Attention, en France, pour vous saluer, on vous propose rapidement de vous faire une ou plusieurs bises (deux, trois, quatre ? Cela dépend des gens.).
Et on pourra vous dire :
On se fait la bise ?
On s'embrasse ?

AMOUR

Parler des relations entre deux personnes

C'est son amant. C'est sa maîtresse. *(Ces deux termes sont peut-être maintenant un peu moins employés.)*
Ils sont ensemble.
Ils sortent ensemble.
Ce n'est qu'un flirt.
Il est amoureux. / Elle est amoureuse.
Ils sont tombés amoureux (l'un de l'autre).
Il est passionné. Elle est très tendre. Il est très affectueux.
Ils flirtent.

Présenter son partenaire

C'est mon ami / mon petit ami / mon compagnon / mon mari.
C'est mon amie / ma petite amie / ma compagne / ma femme.

C'est mon époux / mon épouse.   C'est mon copain / ma copine.

Attention : si vous dites **je suis allé(e) au cinéma avec mon** ami(e), *on comprendra* **mon petit ami.** *Alors qu'***un** *ami ou* **une** *amie ne sous-entend que de l'amitié. Par contre,* **mon ami Christian** *ou* **mon amie Frédérique** *sont ambigus et peuvent être employés dans les deux cas !*

Parler d'une attirance

Elle est attirante.
Elle est séduisante.
Elle me plaît.
Il m'attire.
Il a du charme.

Déclarer ses sentiments

Vous me plaisez.
Je vous aime.

Tu me plais beaucoup.
Je t'aime.

Passer à l'acte

Donne-moi un baiser.
Embrasse-moi.
J'ai envie de toi.

Pour la suite, demandez à un Français ou à une Française !

S'adresser à son amour

Mon amour

 Ma chérie *et* **mon chéri** *s'emploient moins souvent qu'autrefois.*
Attention, les Français n'hésitent pas à employer certains noms d'animaux comme **mon lapin, mon canard, mon poussin.**

draguer (FAM.) ou faire les yeux doux à un homme ou faire la cour à une femme = flirter

avoir le coup de foudre : *Tomber amoureux de quelqu'un dès la première rencontre.*

Quand un homme essaie de séduire continuellement des femmes
C'est un coureur / un don Juan / un dragueur.

DIALOGUES

Déprime

PASCALE : Salut, Brigitte. Ça va ?

BRIGITTE : Ça pourrait aller mieux.

PASCALE : Qu'est-ce qui t'arrive ?

BRIGITTE : J'ai le cafard depuis que Marc est en stage à Londres.

PASCALE : Ce n'est pas la fin du monde. Il revient quand ?

BRIGITTE : Le mois prochain.

PASCALE : Allez, courage ! Un mois, c'est vite passé.

La nouvelle crèche

MME CLÉRY : Vous savez quoi ? On a supprimé les crédits pour la nouvelle crèche.

MME DELBOIS : Quoi ? Vous plaisantez ?

MME CLÉRY : Pas du tout. L'adjoint au maire vient de l'annoncer.

MME DELBOIS : Mais c'est inadmissible. Il l'avait promis. Ça ne va pas se passer comme ça !

MME CLÉRY : Vous avez raison. Il faut tout de suite rédiger une pétition.

Condoléances

JACQUES : Oh, Pierre ! J'ai appris la disparition de votre père. Toutes mes condoléances.

PIERRE : Merci, Jacques.

JACQUES : C'était un homme charmant. Nous le regretterons tous. J'ai beaucoup de peine pour vous.

PIERRE : Oui, c'est une grande perte.

JACQUES : Et c'est arrivé comment ?

PIERRE : Il a eu une attaque pendant la nuit.

JACQUES : J'espère qu'il n'a pas souffert.

PIERRE : Le docteur a dit que non.

JACQUES : C'est triste à son âge. Il était encore jeune, non ?

PIERRE : Il venait d'avoir 70 ans.

JACQUES : En tout cas, si je peux vous être utile, n'hésitez pas à me faire signe !

PIERRE : D'accord, merci.

Promotion

GEORGETTE : Vous savez, il paraît qu'Alexandre, le nouveau, est devenu l'adjoint de Favier, le directeur du marketing.

SIMONE : Ça alors ! Dites donc, M. Musil doit être fou de rage.

GEORGETTE : Je vous crois. Il était vert de jalousie. Avec ses 15 ans d'ancienneté, voir ce petit pistonné* lui passer devant... Vous imaginez ?

SIMONE : Bien sûr. Je n'aimerais pas être à sa place.

GEORGETTE : Quand même, je n'aurais jamais cru Favier capable de faire ça.

* *quelqu'un qui obtient un poste grâce à ses relations*

Thèse

SYLVIE : Salut, Cécile ! Alors, quoi de neuf ?

CÉCILE : Une sale nouvelle.

SYLVIE : Ah, oui ? Quoi ?

CÉCILE : Figure-toi que j'ai travaillé pendant tout ce temps sur ma thèse et voilà que mon directeur de recherche a eu le culot* de publier un article qui est la copie intégrale d'un de mes chapitres et de le signer de son nom.

SYLVIE : C'est pas vrai ? Et qu'est-ce que tu vas faire maintenant ?

CÉCILE : Qu'est-ce que tu veux que je fasse ? Je n'ai plus que mes yeux pour pleurer. Ça me dégoûte de travailler avec des gens comme ça. C'est révoltant !

* l'audace

Vacances

PAUL : Alors, tes vacances ?

GÉRARD : Mes vacances ? Pas terribles ! Je me suis ennuyé à mourir : je me suis cassé la jambe le premier jour.

PAUL : Oh, mon pauvre ! Pas de bol* !

GÉRARD : J'ai donc dû rester au chalet sans rien faire.

PAUL : Aïe ! Aïe ! Aïe ! C'est sûr que ce ne devait pas être génial pour toi.

GÉRARD : Des vacances comme ça, j'en veux plus. Et les tiennes, au fait ?

PAUL : Pour moi, c'était vraiment chouette ! J'en suis ravi !

GÉRARD : On dirait !

PAUL : Moi qui suis un trouillard** de première, j'ai fait du saut à l'élastique et, encore mieux, j'ai rencontré une femme extraordinaire. Tu imagines ?

GÉRARD : Oui, je vois ! Et quand est-ce que tu me la présentes ?

* pas de chance – ** peureux

Soirée

PHILIPPE : Belle soirée, n'est-ce pas ?

CATHERINE : Oui.

PHILIPPE : C'est la première fois que vous venez ici, non ?

CATHERINE : Non.

PHILIPPE : C'est dommage que je ne vous aie jamais vue avant. Vous vous appelez comment ?

CATHERINE : Catherine.

PHILIPPE : Moi, c'est Philippe. On peut se tutoyer ?

FRANÇOIS : Regarde notre dragueur de service.

NATHALIE : Eh, oui ! Encore une conquête pour la soirée.

Collègues

MARC : Vraiment sympa, ce Thierry !

YVAN : Quel Thierry ?

MARC : Celui de la com*.

YVAN : Moi, je ne le sens pas. Je ne lui fais pas confiance. Je pense qu'il serait prêt à vendre père et mère pour avoir une promotion.

MARC : Ah, oui ? Pourtant, il m'a proposé de l'aide pour le dossier Lambert.

YVAN : Méfie-toi ! Il doit être encore en train de préparer quelque chose. Il ne fait rien gratuitement.

* *communication*

CHAPITRE **6**

EXPRIMER SA VOLONTÉ

Leurs désirs les plus secrets

UN COUREUR CYCLISTE : J'ai hâte d'arriver.

UN PETIT GARÇON GOURMAND : J'ai envie d'une glace.

UN AMOUREUX TRANSI : Je voudrais tellement qu'elle me regarde.

UNE SECRÉTAIRE : Vivement le week-end !

UNE EMPLOYÉE : Si seulement j'avais une augmentation.

UN SKIEUR : Pourvu qu'il neige !

Exprimer une volonté

J'ai décidé d'arrêter de fumer.

Je tiens à partir le plus vite possible.

Je tiens à ce que vous assistiez à cette réunion.

Je veux suivre un cours d'informatique.

 *Utilisez **je veux** si ça ne dépend que de vous, sinon ce serait très autoritaire.*

Quand cela dépend d'une autre personne, si vous voulez exprimer poliment votre volonté, dites:

Je voudrais que vous m'écoutiez cinq minutes.

J'aimerais que tu me laisses tranquille.

montrer de la bonne volonté = être conciliant, faire des efforts

faire quelque chose de bon cœur = faire volontiers quelque chose

DIRE CE QU'ON NE VEUT PAS FAIRE

Je ne veux pas arriver en retard.

Je ne voudrais pas vous gêner.

Je n'ai pas l'intention de me laisser faire.

Je n'ai pas envie de faire cette activité.

Je ne tiens pas à me retrouver seul(e) avec lui / elle.

Ça n'en vaut pas la peine.

Ça ne vaut pas le coup.

faire quelque chose à contrecœur

ou faire quelque chose contre son gré = faire quelque chose contre sa volonté

NE PLUS VOULOIR FAIRE QUELQUE CHOSE

Je n'ai plus envie de le voir.

Je n'ai plus l'intention de partir.

Je ne tiens plus à obtenir ce poste.

Je laisse tomber. (= J'abandonne.)

Plus question de partir.

Exprimer une intention

DEMANDER SES PROJETS À QUELQU'UN

Qu'est-ce que vous voulez faire ?

Qu'est-ce que vous envisagez de faire ?

Que comptez-vous faire ?

Quelles sont vos intentions ?

Quels sont vos objectifs ?

Quels sont vos projets ?

Qu'est-ce que tu penses faire ?

Qu'est-ce que tu veux faire ?

Qu'est-ce que tu aimerais faire plus tard ?

Qu'est-ce que tu comptes faire ?

Quelles sont tes intentions ?

Quels sont tes plans ?

PROJETER

J'ai l'intention de partir à l'étranger.

J'envisage de changer de travail.

Je compte (bien) avoir une promotion.

Mon objectif, c'est de devenir avocat(e).

Pour exprimer l'intention, on peut utiliser :
- *le présent et surtout le futur proche.*
  Je pars à Bruxelles dans un mois.
  Je vais partir.
- **sans doute** *et le futur simple.*
Je passerai sans doute dans la soirée.
(*Voir* **Exprimer la certitude**, *page 74.*)

Désirer / souhaiter

(*Voir* **Espoir**, *page 85.*)

J'ai (bien / très) envie d'aller à la plage.

J'ai hâte d'arriver.

Je souhaite un meilleur travail.

Pourvu qu'il ne pleuve pas dimanche.

Tout ce que je souhaite, c'est que tu sois heureuse.

Vivement le week-end.

On peut utiliser certains verbes au conditionnel.

Ils peuvent marquer soit l'incertitude, soit la politesse :

J'aimerais (bien) qu'on fasse le tour du monde tous les deux.

Je souhaiterais tellement le rencontrer.

> Je voudrais (tellement) que tu viennes avec moi.

Si seulement il réussissait son bac !

Attention, dans ce sens, seul l'imparfait est possible avec **si seulement**.

Demander à quelqu'un de faire quelque chose

DEMANDE POLIE

Est-ce que vous pourriez me renseigner ?

Cela ne vous dérange pas de garder les enfants ce soir ?

Pourriez-vous avoir la gentillesse de ne pas fumer ici ?

Auriez-vous l'amabilité de m'ouvrir la porte ?

Pourriez-vous avancer un peu ?

Pouvez-vous me dire où se trouve la photocopieuse ?

Vous pourrez le faire pour lundi ?

Et ajoutez :

Si ça ne vous dérange pas.

S'il vous plaît.

Vous voulez bien ?

Est-ce que tu pourrais me remplacer demain ?

Tu pourrais me relire ce passage ?

Tu pourras me prêter ta voiture ?

Et ajoutez :

S'il te plaît.

Tu veux bien ?

Si ça ne te dérange pas.

Je vous prie de bien vouloir…

Vous êtes priés de…

Prière de s'essuyer les pieds.
(*Sur un panneau ou un écriteau.*)

ORDRE

Il faut le faire.

Je vous demande de ne rien dire à personne.

N'oubliez pas de m'appeler quand vous aurez la réponse.

Utilisation du futur simple :

Vous me taperez cette lettre.

Allez, donne-moi ton stylo.

Dépêche-toi !

Il y a intérêt à ce que tu me dises la vérité.

N'oublie pas d'écrire à ta grand-mère !

J'exige que tu viennes tout de suite.

Pour plus d'autorité, ajoutez :

Obéis !

C'est un ordre !

demander la lune = demander l'impossible

DONNER DES INSTRUCTIONS / DIRE COMMENT FAIRE

Pour demander des instructions ou demander comment faire

Qu'est-ce que je dois faire ?

Comment est-ce que ça fonctionne ?

Comment ça marche ?

Il faut que vous alliez (d'abord) au guichet n° 6.

Pour téléphoner, il faut une carte.

Vous n'avez qu'à prendre le métro.

Vous devez remplir ce formulaire.

Moins haut. / Moins de jaune.

Pas si haut. / Pas si vite.

Plus haut. / Plus à gauche.

À l'oral, on peut également utiliser :
– l'impératif (attention à ne pas adopter un ton autoritaire, ce serait considéré comme un ordre).

Demandez à la réception.

Mettez une pièce de 2 euros.

Suivez cette rue.

Ne bouge pas.

Lève un peu la tête

– le présent de l'indicatif.

C'est tout droit.

Vous prenez la première à gauche.

Tu remplis cette fiche et tu l'envoies.

Un médecin utilise souvent le futur.

Vous prendrez deux pilules avant chaque repas.

Pour des instructions écrites (mode d'emploi, recettes…), on utilise en général l'infinitif ou l'impératif.

Brancher l'appareil.

Sélectionner la température.

Ajoutez cent grammes de beurre.

Permettre

DEMANDER UNE PERMISSION

Est-ce que je peux emprunter ce livre ?

Est-ce que je pourrais le voir la semaine prochaine ?

Je peux prendre la voiture ?

Je pourrais venir avec vous ?

Ce serait possible de se voir plus tard ?

Serait-il possible d'ouvrir la fenêtre ?

Je voulais vous demander si je pouvais partir plus tôt.

Vous permettez que je fume ?

Ça ne te dérange pas si mon mari / ma femme vient avec moi ?

Ça ne t'embête pas de rester plus longtemps ?

ACCORDER UNE PERMISSION

(Voir Accepter, page 14.)

Bien sûr que oui.

Mais bien sûr.

D'accord.

Je vous en prie.

Vas-y !

O.K.

Pas de problème.

ANNONCER UNE PERMISSION

Il / Elle est d'accord.

J'ai obtenu son accord.

J'ai sa permission.

J'ai son autorisation.

On m'a autorisé(e) à assister à cette réunion.

REFUSER UNE PERMISSION

(Voir Refuser, *page 15.)*

(C'est) non !

C'est impossible.

Je suis désolé(e) mais ce n'est pas possible.

Je regrette mais les bureaux sont fermés.

Vous ne pouvez pas consulter ce document.

Ça me dérange.

Défendre / interdire

Il ne faut pas le déranger.

Je vous interdis de me parler sur ce ton.

Vous n'avez pas le droit d'agir ainsi.

Vous ne devez pas rester ici.

Je t'interdis de me dire ça.

Je te défends d'embêter ta petite sœur.

Je ne veux pas que tu rentres tard.

Pas question !

Tu n'as pas le droit de me traiter comme ça.

Tu ne dois pas le voir.

Impératif négatif :

N'en parlez pas !

Ne fais pas ça !

Exprimer la nécessité / l'obligation

C'est nécessaire. / C'est obligatoire.
Il est important qu'il vienne.
Il est temps de partir.
Il faut (absolument) que vous finissiez ce travail.
J'ai besoin de votre réponse immédiatement.
Je dois refuser cette proposition.
Je suis obligé(e) de m'en aller.
On m'a obligé(e) à me taire.

Avec une nuance d'excuse

Je n'ai pas le choix.
Je ne peux pas faire autrement.

Je suis contraint(e) d'accepter.　　Pas moyen de faire autrement.

Nous nous voyons dans
l'obligation de...

il n'y a pas le choix = c'est la seule solution

DIALOGUES

Aux Champs-Élysées

UN TOURISTE : Excusez-moi, monsieur, pour aller à la tour Eiffel, s'il vous plaît ?

UN PASSANT : Vous êtes à pied ?

LE TOURISTE : Oui.

LE PASSANT : Alors, c'est très simple. Vous remontez les Champs-Élysées et au rond-point, vous prenez l'avenue Montaigne à gauche. Ensuite, vous allez tout droit jusqu'à la place de l'Alma. Vous traversez la Seine, pont de l'Alma. Et là, vous tournez à gauche, quai Branly. Vous marchez trois cents mètres et vous arrivez aux pieds de la tour Eiffel. Vous avez compris ?

LE TOURISTE : Oui... Et, en métro, je fais comment ?

Projets de vacances

MME QUENTIN : Qu'est-ce que vous comptez faire pour les prochaines vacances ?

MME POIRET : Mon mari a l'intention de suivre un stage de tennis au Cap d'Agde. Pour ma part, j'envisage de partir à l'île Maurice.

MME QUENTIN : Ah, bon ! Vous ne partez pas ensemble ?

MME POIRET : Si, si. À l'île Maurice, certainement. Et vous, que faites-vous ?

Sortie

CAROLINE : Papa, je peux aller au cinéma avec Sylvie, ce soir ?

LE PÈRE : Je regrette mais tu as cours demain. Je ne veux pas que tu te couches tard.

CAROLINE : Mais Sylvie a eu la permission.

LE PÈRE : Pas question ! Sylvie, c'est Sylvie. Toi, c'est toi.

CAROLINE : Mais papa…

LE PÈRE : Ça suffit. Ne discute pas. C'est comme ça.

CAROLINE : Y en a marre. C'est toujours la même chose.

LE PÈRE : J'ai dit non et c'est non. Et parle-moi autrement.

Carte d'identité

L'EMPLOYÉE : Allô, bonjour.

MME GAUTHIER : Bonjour. Je voudrais faire renouveler ma carte d'identité. Qu'est-ce que je dois apporter ?

L'EMPLOYÉE : Alors, il vous faut deux photos d'identité récentes et de bonne qualité, un extrait d'acte de naissance si vous êtes née à l'étranger, un justificatif de domicile…

MME GAUTHIER : Oui…

L'EMPLOYÉE : Vous devez aussi apporter un timbre poste pour la convocation.

MME GAUTHIER : C'est tout ?

L'EMPLOYÉE : Oui. N'oubliez pas votre ancienne carte d'identité, bien sûr.

CHAPITRE **7**

DONNER
UNE APPRÉCIATION

Vernissage*

ÉVELYNE : Qu'est-ce que c'est que cette installation informe ? Quelle horreur !

JULIE : C'est le nouveau style de Jean-Yves. Tu n'aimes pas ?

ÉVELYNE : Je trouve ça nul. Dire qu'il peignait de si belles toiles, il y a quelques années !

JULIE : Tu exagères. Disons que ça manque d'originalité.

ÉVELYNE : Ah ça, oui ! Ça ne fera pas date dans l'histoire de la peinture. Attention, le voilà !

JEAN-YVES : Alors, mes chéries, tout va bien ?

JULIE : Oh ! Jean-Yves ! Quelle expressivité, c'est génial !

ÉVELYNE : Et cette recherche de formes nouvelles ! Sublime ! Il n'y a qu'un mot : sublime !

* inauguration d'une exposition, notamment de peinture

DONNER UNE APPRÉCIATION

Demander une appréciation à quelqu'un

Ça vous plaît ?

Vous aimez ça ?

Qu'est-ce que vous en pensez ?

Quel est celui que vous préférez ? Celui-ci ou celui-là ?

Vous me le recommandez ?

Ça t'a plu ?

Ça te fait plaisir ?

Qu'est-ce que tu en penses ?

Qu'est-ce que tu préfères ?

Tu aimes ça ?

Tu as trouvé ça comment ?

Tu trouves que c'est bon ?

Donner une appréciation

Avec un adjectif, vous pouvez utiliser :

C'est bon.

C'était parfait.

Je trouve ça nul.

Je n'ai pas trouvé ça génial.

Qu'est-ce qu'il est ennuyeux !

Qu'est-ce qu'elle est sympathique !

N'est-ce pas extraordinaire ?

Appréciation positive

EN GÉNÉRAL

(Voir **Joie***, page 88.)*

J'aime son confort / son élégance / son esthétisme.

J'aime sa délicatesse / sa perfection / sa simplicité / sa sobriété.

Si vous appréciez un objet, du moins fort au plus fort

J'aime assez. J'aime bien. J'aime. J'aime beaucoup.

Mais ce n'est pas la même chose avec une personne. (Voir **Amitié***, page 92.)*

Vous pouvez aussi dire :

Ça me plaît (bien / beaucoup).

Ça m'a beaucoup / vraiment plu.

Ça en vaut la peine.

C'est correct / positif / remarquable.

J'apprécie (beaucoup) ses qualités.

C'est un plaisir.

C'est épatant / sympa.

C'est vachement bien.

Vous pouvez utiliser **assez, plutôt** *ou* **très** *pour moduler votre appréciation :*

C'est assez plaisant.

C'est plutôt agréable.

C'est très bien.

Attention, vous ne pouvez pas utiliser **très** *avec un adjectif dont l'intensité est déjà forte comme* **magnifique, merveilleux**… *Si vous voulez insister, utilisez* **vraiment** *:*

C'est vraiment parfait.

Bon *ou* bien ?

Bien *est un adverbe, il s'emploie avec un verbe :*

Il travaille bien.

Bon *est un adjectif, il qualifie un mot :*

Il a de bons résultats.

Mais on peut dire **c'est bon** *ou* **c'est bien**.

On emploie **c'est bon** *plutôt pour une sensation (cuisine, plaisir…) :*

C'est bon de rester tranquillement au soleil.

On emploie **c'est bien** *plutôt pour un jugement moral :*

C'est bien de dire la vérité.

Mais les deux formes s'emploient indifféremment dans de nombreux cas (un spectacle, par exemple).

Les Français utilisent fréquemment la forme négative :

Ce n'est pas mal.

Ça ne me déplaît pas.

Je ne déteste pas. (RECH.)

C'est pas mal.

Mais attention, suivant l'intonation, ce peut être **assez bien** *ou* **très bien** *:*

C'est pas mal du tout.

---

de premier ordre = de première qualité

EXPRIMER SON INTÉRÊT

Ça m'intéresse.

Je trouve ça intéressant.

Ça me tente.

Utilisez **je m'intéresse** *plutôt pour un intérêt général, un goût et* **je suis intéressé(e)** *pour un intérêt particulier :*

Je m'intéresse à l'histoire de ce peuple.

Je suis intéressé(e) par ce modèle.

J'éprouve de l'intérêt pour cette culture.

Je porte de l'intérêt à ce projet.
(RECH.)

EXPRIMER LA SATISFACTION

C'est satisfaisant.

Ça me convient.

Ça me va.

Je suis satisfait(e).

EXPRIMER UNE PRÉFÉRENCE

C'est mon peintre favori / ma chanteuse favorite.

C'est mon écrivain préféré / ma saison préférée.

C'est préférable.

J'aime mieux le café.

J'aimerais mieux du thé.

Je préfère l'eau gazeuse.

Je préférerais une couleur plus vive.

Je donne la préférence à la première option.

Il a ma préférence.

VANTER L'ORIGINALITÉ

C'est exceptionnel / original / unique.

J'aime son originalité.

Ça sort de l'ordinaire.

FAIRE L'ÉLOGE DE QUELQU'UN OU DE QUELQUE CHOSE

C'est un grand écrivain.

Je vous recommande ce restaurant.

Je voudrais faire l'éloge de mon confrère. (RECH.)

Je vous félicite pour cette promotion.

Pour évoquer la renommée de quelqu'un

Il est connu / célèbre / populaire / prestigieux.

Elle est renommée / réputée pour son style.

C'est une célébrité.

Il a une bonne réputation.

MONTRER SON ENTHOUSIASME / SA PASSION

C'est extraordinaire / fantastique / formidable / génial / inoubliable / magique / merveilleux / sensationnel.

C'est une merveille.

Ça m'enchante / m'enthousiasme / me fascine / me passionne.

J'admire Victor Hugo.

J'adore le chocolat.

Je suis passionné(e) par mon travail.

Je suis fou / folle de jazz.

Je suis un admirateur / une admiratrice de Berlioz.

Super !

Je suis fan (fana) de ce chanteur. (= Je suis fanatique…)

Je suis dingue de football.
Certains Français n'hésitent pas à utiliser **trop** *à la place de* **très** *et disent:*
C'est trop bien!

C'est le pied! **(FAM.)** *ou* C'est terrible! **(FAM.)** = C'est super!
Contrairement aux apparences, ces deux expressions sont très positives.

À PROPOS DE...
BEAUTÉ
Du moins fort au plus fort

C'est mignon / joli / beau / magnifique / superbe.
Attention, vous ne pouvez pas utiliser **mignon** *et* **joli** *pour des choses de grande taille:*
Une statuette mignonne, une jolie maison *mais* un beau château.

C'est ravissant.
C'est d'une beauté!

TOUCHER

C'est agréable / doux / mœlleux / soyeux.

CUISINE

C'est appétissant / (très) bon / délicieux / excellent / savoureux.
Délicieuse, cette sauce!

C'est un délice.
C'est exquis. **(RECH.)**

C'est extra / fameux.
Je me régale.
C'est vachement bon.
(= C'est très bon.)

PARFUM

Ça sent bon.
C'est parfumé / odorant.
J'aime ce parfum.

LIEU

C'est pittoresque / romantique / typique.
C'est un coin charmant.
Le cadre est exceptionnel.
La vue est superbe.
C'est un paradis.

MODE

C'est à la mode.
Il est chic.
Elle est élégante.

Ça te va bien.
Il te met en valeur.
Ça te va à ravir.

être branché (FAM.) = être à la mode

OBJETS

C'est adapté / confortable / pratique / utile /
indispensable / irremplaçable.

ART

C'est un enchantement / un joyau.
Cette sculpture est un chef-d'œuvre.
À mon avis, c'est le plus grand poète du siècle.

SPECTACLE

C'est distrayant / divertissant.
C'est bouleversant / émouvant / palpitant.
C'est le film de l'année.
C'est amusant / drôle.
Ça m'amuse. Ça me distrait.

Ça me divertit.   C'est marrant comme tout.
                                   C'est rigolo.

faire un tabac = avoir du succès

PARTICULIÈREMENT AVEC LES PERSONNES

(Voir Amitié, page 92.)

Pour parler de leur apparence

Il a bon goût.
Elle a du goût.
Elle a de la grâce.
Il est séduisant.
Elle est attirante.
Il a du charme / un charme fou.

Pour parler de leurs capacités

Elle a de l'esprit / du génie.
Il a du mérite /du talent.
Elle est intelligente.
Elle est compétente.
C'est un expert.
C'est un as.

Pour parler de leur personnalité

C'est une personne ouverte / tolérante / compréhensive.

Pour parler de vos sentiments

Je la trouve sympathique.

J'ai de l'admiration / de la sympathie pour lui / elle.

Je l'adore.

Il est sympa.

un homme / une femme comme il faut *ou* B.C.B.G. (bon chic bon genre) = correct, convenable. *L'expression B.C.B.G. est souvent ironique.*

Appréciation négative

EN GÉNÉRAL

C'est déplaisant / désagréable.

Ça ne va pas.

Ce n'est pas (très) bon.

Ce n'est pas bien.

C'est mal fait.

C'est mauvais.

C'est nul. / C'est trop nul. (*Voir* **trop bien**, *page 115.*)

Du moins mauvais au plus mauvais

Je n'aime pas tellement.

Je n'aime pas vraiment.

Je n'aime pas beaucoup.

Je n'aime pas.

Je n'aime pas du tout.

Vous pouvez également dire :

Ça ne vaut pas la peine.

Ça ne me plaît pas tellement.

Ça ne me plaît pas du tout.

J'ai horreur de ça.

Je déteste ça. (*Attention, cette expression est vraiment forte.*)

Ça ne me convient pas.

Ça me déplaît.

Ça ne m'emballe pas.

C'est pas génial / pas terrible.

C'est pas le pied.

EXPRIMER SON DÉSINTÉRÊT

Ça m'est égal.

Ça ne m'intéresse pas beaucoup.

Je ne suis pas intéressé.

Je m'en désintéresse.

Ça ne me dit rien.

C'est sans (aucun) intérêt.

Cela m'est indifférent.   Bof !

Oh moi, vous savez, la poésie…   Je m'en moque.

Je m'en fiche.

Je m'en fous. (TRÈS FAM.)

ça me laisse froid = ça me laisse indifférent

EXPRIMER L'ENNUI

Ce n'est pas intéressant.

C'est ennuyeux.

Je m'ennuie.

Quelle triste soirée !   C'est barbant / casse-pieds / rasoir.

La barbe !

C'est chiant. (TRÈS FAM.)

Ça m'emmerde. (TRÈS FAM.)

CRITIQUER L'EXCÈS

C'est exagéré / excessif.

C'est de la folie.

CRITIQUER L'INUTILITÉ

C'est inutile / superflu.

Ce n'est pas indispensable / pas utile / pas nécessaire.

Ça ne sert à rien.

CRITIQUER LA LAIDEUR

Ce n'est pas (très) beau.

C'est laid / difforme / affreux / horrible.

C'est sans attrait.   C'est (plutôt) moche / tarte.

C'est pas terrible.

CRITIQUER LE MANQUE DE CLARTÉ

C'est confus / flou / incompréhensible.

Ce n'est pas clair.

Ça manque de clarté.

Ça n'a pas de sens.

CRITIQUER LE MANQUE D'INTELLIGENCE

(Voir Injurier / insulter, *page 133.)*

C'est grotesque / idiot / ridicule / stupide.

C'est fou, insensé.

C'est une ineptie.

ça vole bas (FAM.) = ce n'est pas intelligent

CRITIQUER LE MANQUE D'ORIGINALITÉ

C'est banal / impersonnel / ordinaire.

Ce n'est pas original.

Ça manque d'originalité.

C'est d'une banalité !

CRITIQUER LE MANQUE DE MORALITÉ

C'est immoral / indécent / indigne.

C'est bas / méprisable.

Quel manque de pudeur !

CRITIQUER LA VULGARITÉ

C'est grossier / trivial / vulgaire.
Quelle grossièreté / vulgarité !

EXPRIMER LE DÉGOÛT / L'ÉCŒUREMENT

C'est écœurant / dégoûtant / imbuvable / immangeable /
infect / ignoble / abominable.
Ça m'écœure.
Ça me dégoûte.

C'est abject / répugnant.
Ça me répugne.

C'est dégueulasse / dégueu. (TRÈS FAM.)
Berk ! (FAM.)

Critiquer la saleté

C'est malpropre / sale / sordide.

EXPRIMER SON EXASPÉRATION

(Voir Protester, page 130.)
N'importe quoi !
C'est lamentable / insupportable / scandaleux.
C'est un scandale !

Tu m'emmerdes. (TRÈS FAM.)
Tu me fais chier. (TRÈS FAM.)

EXPRIMER SON HOSTILITÉ

Il est odieux / monstrueux.
Je la déteste.
Je le hais. (Attention, haïr est très violent.)
Je suis hostile à cette proposition.

À PROPOS DE...

ART

Ça ne fera pas date dans l'histoire de la peinture.

Ce n'est pas le roman du siècle.

un roman à l'eau de rose = un roman trop sentimental

À propos de peinture

C'est du gribouillage.

C'est kitsch.

C'est chargé.

CUISINE

*(Voir **Exprimer le dégoût**, page 121.)*

C'est écœurant / fade / lourd / mal assaisonné /
trop salé / sans saveur.

SPECTACLE

*(Voir **Exprimer l'ennui**, page 119.)*

À propos d'un film

C'est un navet.

À propos d'un acteur / d'une actrice

Elle en fait trop.

Il joue comme un pied.

c'est une série B = c'est un film de deuxième catégorie

MODE

C'est démodé / dépassé / vieux.

Elle a mauvais goût.

Il est mal habillé.

Ça lui va mal.

Je ne pourrais jamais mettre ça.

C'est ringard.

Il est mal fringué.

OBJETS

C'est inutile / inadapté / inconfortable.
Ce n'est pas pratique.

TRAVAIL

C'est bâclé / faible / insuffisant / mal fait / moyen.

Appréciations scolaires

En France, à l'école et à l'université, on donne en général une note sur 20. Voici le tableau des appréciations correspondantes :

8-9 / 20   : médiocre
10-11 / 20   : moyen ou passable
12-13 / 20   : assez bien
14-15 / 20   : bien
16 à 20 / 20 : très bien

PRIX

C'est abusif / exagéré / exorbitant / hors de prix / inabordable.

ça coûte les yeux de la tête = c'est beaucoup trop cher

PARTICULIÈREMENT AVEC LES PERSONNES

Elle est antipathique.
Il est désagréable.

J'éprouve de l'antipathie pour lui.

Elle n'est pas sympa.
Je ne peux pas le voir / le sentir / le piffer.

Pour parler de l'apparence

Elle n'est pas terrible.
Il est moche.

Pour parler du comportement

Il est mal élevé.

Elle est snob.

Il fait tout de travers.

Il est méchant. *(Ce sont surtout les enfants qui le disent.)*

DIALOGUES

À table (1)

ÉDOUARD : Alors ? Qu'en pensez-vous ?

CAROLINE : Oh, Édouard ! Le cadre est élégant, les plats sont exquis. Merci de nous avoir fait découvrir ce restaurant.

ÉDOUARD : Il m'a été recommandé par Évelyne.

CAROLINE : Et ces profiteroles, un vrai délice !

STÉPHANIE : La sauce au chocolat est particulièrement savoureuse.

BENJAMIN : En tout cas, c'est fameux. Moi, je me régale.

CAROLINE : Benjamin ! On ne parle pas la bouche pleine ! On ne t'a pas appris les bonnes manières ?

À table (2)

MME POIRET : Quelle idée tu as eu de nous faire déjeuner dans ce boui-boui* minable !

M. POIRET : Il n'y avait rien d'autre sur l'autoroute.

MME POIRET : L'agneau qui baigne dans la graisse, j'ai horreur de ça ! Et mon verre qui n'est pas propre ! C'est écœurant !

M. POIRET : C'est vrai que ce n'est pas très bon. Mais c'est mangeable.

MME POIRET : Mangeable ? Infect, oui !

KEVIN : Maman a raison. C'est vraiment dégueulasse.

M. POIRET : Toi, surveille ton langage et sois poli. Sinon tu vas t'en prendre une** !

* café, restaurant de dernier ordre
**prendre une gifle

À l'entrée du cinéma

PASCAL : Si on allait voir *Eradicator* ? Qu'est-ce que tu en penses ?

ÉLODIE : Ah, non ! C'est encore une série B où des types se tapent dessus tout au long du film. Je n'aime pas la violence. Va le voir avec tes copains, si tu veux.

PASCAL : Bon. Qu'est-ce que tu proposes, toi ?

ÉLODIE : *Passion à Marie-Galante* avec Brad Pitt. Il paraît qu'il est fantastique.

PASCAL : Je suis sûr que c'est encore une histoire à l'eau de rose, un truc à te faire chialer* toutes les cinq minutes.

ÉLODIE : S'il te plaît !

PASCAL : Bon, d'accord. Mais c'est vraiment pour te faire plaisir.

* *pleurer*

La femme de ma vie

GEORGES : Allez, raconte ! Comment ça s'est passé avec Hélène ?

FRÉDÉRIC : C'est une femme remarquable, séduisante… Elle a un charme fou.

GEORGES : Et en plus, elle est très belle.

FRÉDÉRIC : Ce n'est pas le plus important. Elle est intelligente, cultivée, ouverte. Et, tu sais, elle est un as* dans son domaine.

GEORGES : Oui, d'accord. Mais qu'est-ce que vous avez fait ?

FRÉDÉRIC : Nous avons beaucoup parlé de Baudelaire. C'est son poète préféré.

GEORGES : Et c'est tout ?

FRÉDÉRIC : Ben, oui. Tu n'es pas très romantique, toi.

* *elle est très forte*

L'homme de ma vie

GABY : Alors, Frédéric, tu le trouves comment ?

HÉLÈNE : Sympa, mais un peu rasoir.

GABY : Il est ennuyeux ?

HÉLÈNE : C'est un intello*. Il m'a tenu la jambe** à propos de Baudelaire pendant deux heures. Il est fou de poésie.

GABY : Il est plutôt mignon, non ? Il ne te plaît pas ?

HÉLÈNE : Si, mais il n'a pas l'air très débrouillard. Je ne sais pas si j'aurai la patience d'attendre qu'il se décide.

* *intellectuel*

** *retenir quelqu'un par des paroles souvent ennuyeuses*

CONFLITS

Conflits

EXPRIMER SON ÉTONNEMENT

 Si vous voulez exprimer un reproche de façon atténuée ou polie, montrez de l'étonnement.

S'étonner d'une situation

C'est incroyable.

C'est invraisemblable.

C'est la meilleure !

C'est la première fois que je vois une chose pareille !

Je rêve !

C'est pas croyable !

C'est pas possible !

C'est pas vrai, ça !

S'étonner de l'attitude de quelqu'un

Je m'étonne de votre attitude.

Votre comportement me déçoit.

Je ne comprends pas comment vous pouvez dire une chose pareille.

De quel droit me donnez-vous des ordres ?

Qu'est-ce qui te prend ?

Ça te fait rire ?

Ça va pas la tête ?

T'es pas bien ?

EXPRIMER UNE CONTRARIÉTÉ

Ce n'est pas très intelligent.

Ça me fatigue !

Il ne manquait plus que ça !

C'est absurde !

Ça me casse les pieds.

EXPRIMER UN REPROCHE

J'ai un reproche à vous faire.

Vous n'avez pas à dire des choses pareilles !

Vous auriez pu me le dire avant.

Vous auriez dû m'en parler.

Si tu m'avais dit ça avant, je ne lui aurais pas écrit.

Tu aurais mieux fait de te taire.

Tu as eu tort de partir sans elle.

Tu exagères !

PROTESTER

C'est très grave.

Je proteste.

Je ne peux admettre que vous vous comportiez ainsi.

Je tiens à protester contre cette attitude.

Ne vous gênez pas !

Pour qui vous prenez-vous ?

Tu es pénible.

Tu es insupportable.

Tu m'énerves.

Arrête de me prendre la tête ! (= Arrête de m'énerver !)

Tu te moques de moi !

Tu te fiches du monde ! / Tu te fous du monde ! (TRÈS FAM.) (= Tu te moques des gens !)

Merde ! (TRÈS FAM.)

PROTESTER VIGOUREUSEMENT

(Voir Indignation / révolte, *page 87.)*

C'est scandaleux !

C'est un scandale !

C'est une honte !

Je trouve ça scandaleux.

Je ne tolère pas que vous me parliez sur ce ton.

avoir une dent contre quelqu'un *ou* en vouloir à quelqu'un = être fâché contre quelqu'un

SITUATIONS PARTICULIÈRES

La situation est inacceptable

C'est inacceptable !

C'est inadmissible !

C'est un comble !

Vous dépassez les bornes.

En cas de bruit

C'est insupportable.

C'est pas bientôt fini ce vacarme ?

En cas de prix très élevé

Mais c'est du vol.

C'est de l'arnaque !

Quand quelqu'un fume

Ça sent la fumée ici !

Monsieur, il est interdit de
fumer ici.

Vous n'avez pas vu la pancarte ?

Si quelqu'un fait mal quelque chose

Ce n'est pas sérieux !

Il n'y a vraiment pas de quoi être fier.

Je suis (profondément) déçu par
votre travail.

Si un fait se répète

C'est toujours la même chose.

C'est toujours moi qui descends la poubelle.

Je vous ai déjà dit plusieurs fois   Ça fait trois fois que je te dis de
de ne rien poser par terre.   ranger tes affaires.

Mettre fin à une situation

J'en ai assez.

Je commence à en avoir assez !

Ça suffit !

Dans ces conditions, je m'en vais !

C'est comme ça. Un point c'est tout !

C'est pas bientôt fini ?

J'en ai marre. / J'en ai ras-le-
bol. (= J'en ai assez.)

Exprimer son impatience

Ça fait une demi-heure qu'on attend ! Qu'est-ce qu'il se passe ?

Vous ne pourriez pas vous dépêcher ?

Dépêchez-vous !

Dépêche-toi !
Grouille-toi !
Alors, ça vient ?
Qu'est-ce que tu fabriques / fais / fiches ?
Qu'est-ce que tu fous ? (TRÈS FAM.)

On ne va pas y passer la nuit ! = Il n'y a pas de temps à perdre !

Vous pouvez répondre :
Un instant, s'il vous plaît.

Une seconde !
Un moment, s'il te plaît.
Ça va. J'arrive.

Rendre quelqu'un responsable

C'est de votre faute.
C'est vous le responsable.

C'est à cause de toi.
C'est toi qui as fait ça.
C'est ta faute.

Demander réparation d'un dommage

Remettez tout en ordre.
Assumez vos responsabilités.

payer les pots cassés = payer les dégâts

Menacer

Ne recommence plus.
Ne refais plus jamais ça.
Tu vas voir.
Tu vas te prendre une claque.

Se débarrasser de quelqu'un

Désolé(e), mais je dois y aller.
Laissez-moi tranquille !

C'est pas tout ça, mais j'ai du travail.
Laisse-moi tranquille !
Fiche-moi la paix
Fous-moi la paix ! (TRÈS FAM.)
Fiche-moi le camp ! (= Pars !)

Injurier / insulter

 Il est rare de prononcer le mot insultant seul, comme Idiot ! *ou* Imbécile !
Les Français utilisent souvent des petits mots auparavant, tels que :

Espèce d'idiot !
Pauvre mec !
Petit con ! (TRÈS FAM.)
Quel idiot !
Sale type !
T'es le roi / la reine des imbéciles.
T'es vraiment un crétin.
que vous pouvez compléter comme vous le voulez.

Vous insultez quelqu'un pour son manque d'intelligence

Espèce d'abruti / d'idiot / d'imbécile.
C'est (complètement) débile / stupide.
T'es con ! / C'est (vraiment) con. (TRÈS FAM.)

Vous insultez quelqu'un à cause de son comportement

Quel sale type !
Quelle ordure ! (TRÈS FAM.)
Quel salaud ! (TRÈS FAM.)

Calmer

Allons !
Du calme.

Calmez-vous !
Restez calme !
Écoutez !

Ne t'énerve pas !
Écoute !

Se défendre

DEMANDER DES ÉCLAIRCISSEMENTS

Qu'est-ce que vous me reprochez ?

Qu'est-ce que j'ai fait ?

CONTESTER LES PAROLES DE QUELQU'UN

(Voir Exprimer sa désapprobation, *page 73.)*
Ce n'est pas ça.
Je n'ai jamais dit que je ferai ce travail.
C'est un mensonge !

REJETER LA RESPONSABILITÉ

Ce n'est pas moi.
Je ne suis pas responsable.
Ce n'est pas (de) ma faute.
Je n'y suis pour rien.

Vous m'aviez dit que vous étiez d'accord.

C'est toi qui m'as dit de le faire.

S'EXPLIQUER

Je ne l'ai pas fait exprès.

Vous justifiez vos intentions

Je pensais que c'était une bonne idée.

J'essayais simplement de vous aider.

J'ai cru bien faire.

Je n'avais pas l'intention de vous causer du tort.

Vous n'aviez pas le choix
(Voir **Exprimer la nécessité**, *page 107.)*

Je n'ai pas pu faire autrement.
J'étais obligé(e) de le faire.

SIGNIFIER À QUELQU'UN QUE CELA NE LE CONCERNE PAS
C'est mon affaire.
C'est mon problème.
Ça me regarde.

Ça ne vous regarde pas.

De quoi je me mêle ?
Mêle-toi de tes affaires.
Occupe-toi de tes affaires.

ce ne sont pas tes oignons (FAM.) = ce ne sont pas tes affaires / cela ne te regarde pas

DIRE QUE L'ON N'EST PAS CONCERNÉ
Ça ne me concerne pas.
Ça ne me regarde pas.
Ce n'est pas mon problème.

C'est pas mes oignons.
Ce ne sont pas mes affaires.
J'en ai rien à faire.

S'excuser

RECONNAÎTRE SES TORTS
C'est ma faute.
C'est moi le responsable.
J'ai eu tort.

S'EXCUSER

Pardon.

Attention, on utilise **pardon** *pour une petite chose sans importance et* **pardonne-moi** *dans un cas grave.*

Je suis (vraiment) désolé(e).

Je regrette.

Toutes mes excuses.

Excusez-moi.

Je suis navré(e).

Je vous prie de m'excuser.

Je vous garantis que cela ne se reproduira plus.

Veuillez m'excuser.

Excuse-moi.

Pardonne-moi.

PROPOSER UNE SOLUTION

Je vais arranger ça.

Je vais faire le nécessaire.

Je vais voir ce que je peux faire.

Excuser / pardonner

C'est oublié.

Ça ne fait rien.

Ce n'est pas (bien) grave.

Ce n'est rien.

Ce n'est pas votre faute.

Je vous en prie. *(Pour une excuse légère.)*

Ce n'est pas ta faute.

Ne t'en fais pas.

passer l'éponge = pardonner

DIALOGUES

Retard

OLIVIER : Ah! te voilà! Tu as vu l'heure? Ça fait une demi-heure que je t'attends!

ÉMILIE : Excuse-moi, mais le téléphone a sonné au moment où je sortais.

OLIVIER : Ouais. Tu as toujours de bonnes excuses. C'est la deuxième fois que tu me fais le coup cette semaine. J'en ai ras-le-bol!

ÉMILIE : Calme-toi! Ce n'est pas si grave. Je suis là.

OLIVIER : On voit bien que ce n'est pas toi qui te gèles dans la rue.

Vol

L'HÔTESSE : Je regrette, madame, mais il n'y a plus de place sur ce vol.

LA CLIENTE : Comment? Mais j'ai mon billet depuis deux mois. C'est scandaleux! C'est du délire!

L'HÔTESSE : Nous pouvons vous proposer une place sur le prochain vol, à 18 h.

LA CLIENTE : C'est hors de question! Ça ne va pas se passer comme ça. Appelez-moi un responsable!

L'HÔTESSE : Calmez-vous, madame! Je vais voir ce que je peux faire.

Rapport

LE DIRECTEUR : Desmarais, vous pouvez venir dans mon bureau?

M. DESMARAIS : Oui, monsieur le directeur.

LE DIRECTEUR : Desmarais, j'ai un reproche à vous faire.

M. DESMARAIS : … ?

LE DIRECTEUR : Je m'étonne de ne pas avoir reçu le rapport Schmidt. Vous me l'aviez promis pour lundi.

M. DESMARAIS : C'est que… Je n'y suis pour rien.

LE DIRECTEUR : Comment ça?

M. DESMARAIS : M. Hubert, de la comptabilité, me l'a repris. Il m'a dit que vous l'en aviez chargé.

LE DIRECTEUR : J'ai dit ça? Ah, bon! Eh bien… merci, Desmarais.

M. DESMARAIS : Au revoir, monsieur le directeur.

Réconciliation

SERGE : Allô, Hélène ?

. . . .

SERGE : Hélène, je voulais m'excuser pour hier soir.

. . . .

SERGE : Je le sais, j'ai été odieux. Je regrette tout ce que je t'ai
dit. Je ne le pensais pas. J'étais énervé à cause de tous
ces problèmes au travail.

. . . .

SERGE : Pardonne-moi. Notre amour
ne peut pas finir comme ça.

. . . .

SERGE : Hélène ! Réponds-moi !
Dis-moi quelque chose !

UNE DAME : **Quel numéro demandez-vous ?**

Dictionnaire

VÉRONIQUE : Ah ! Delphine, te voilà. Tu ne m'as toujours pas
rendu le dictionnaire que je t'avais prêté le mois
dernier.

DELPHINE : Oh ! je suis désolée. Ça m'est complètement sorti de
la tête*.

VÉRONIQUE : Tu exagères. J'en avais besoin pour préparer mes
examens.

DELPHINE : Oh !

VÉRONIQUE : En plus, je t'ai laissé trois messages sur ton
répondeur et tu ne m'as même pas rappelée.
Tu te fiches du monde !

DELPHINE : Écoute ! Je suis vraiment désolée. Je ne savais pas que
tu en avais besoin… Au fait, je suis contente de te
voir. Je n'ai pas ma carte de crédit, tu pourrais me
prêter 50 euros pour quelques jours ?

* j'ai complètement oublié

COMMUNIQUER

Au guichet de la poste

UNE CLIENTE : Bonjour. Je voudrais envoyer un paquet en Suisse.

LE PRÉPOSÉ : Oui, en recommandé ?

LA CLIENTE : Non, normal.

LE PRÉPOSÉ : Il faut remplir cette fiche pour la douane.

LA CLIENTE : D'accord. Il arrivera dans combien de temps ?

LE PRÉPOSÉ : Une petite semaine.

LA CLIENTE : Ah, bon ?... Ça fait combien ?

LE PRÉPOSÉ : 7,30 euros.

LA CLIENTE : Voilà.

LE PRÉPOSÉ : Merci. Au revoir, madame.

Téléphoner

DEMANDER L'AUTORISATION
DE TÉLÉPHONER

Est-ce que je peux téléphoner (c'est un appel local) ?

Vous permettez que je
téléphone ?

Tu permets que j'utilise ton
téléphone ?

Tu me prêtes ton portable ?

ACHETER UNE CARTE DE TÉLÉPHONE

Je voudrais une télécarte / carte téléphonique.

Le vendeur vous demandera :

Combien d'unités ?

De quelle valeur ?

Pour combien de minutes ?

DEMANDER UN RENSEIGNEMENT
TÉLÉPHONIQUE

Je voudrais les renseignements. *(Service payant d'informations
téléphoniques.)*

Quel est l'indicatif pour la Suisse ?

Avez-vous le numéro de téléphone de l'ambassade du Portugal ?

UN DISQUE ENREGISTRÉ VOUS RÉPOND

Avant de parler à un correspondant

Pour accéder au service, appuyez sur la touche étoile.

Vous avez demandé la police. Ne quittez pas.

En cas de problème

Il n'y a pas d'abonné au numéro que vous avez demandé. Veuillez
consulter l'annuaire.

Le numéro que vous demandez n'est pas attribué.

Nous regrettons de ne pouvoir donner suite à votre appel.

Par suite d'encombrement, votre demande ne peut aboutir. Veuillez
renouveler votre appel.

Toutes les lignes de votre correspondant sont occupées.
Veuillez rappeler ultérieurement.

PAS DE RÉPONSE

Ça ne répond pas.

Ça sonne occupé.

C'est son répondeur.

Message sur le répondeur

Vous êtes bien au 03 72 01 24 38.

Je ne suis pas là actuellement.

Parlez après le bip.

Laissez-moi un message après le signal sonore.

QUAND VOUS DÉCROCHEZ

Allô (j'écoute).

Oui, allô.

Institut Français, bonjour.

Entreprise Lagaffe, j'écoute.

 En France, un particulier n'a pas l'habitude de donner son nom en répondant au téléphone. C'est la personne qui appelle qui se présente la première.

Se présenter

Bonjour, ici monsieur Didier, de la société Verdoux.

Allô, bonsoir, Jean Delacroix à l'appareil.

Bonjour, c'est Maria.

Allô ? C'est Irène.

C'est moi !

Demander confirmation du numéro

C'est bien le 01 25 47 34 12 ?

Je suis bien au 02 54 19 26 42 ?

Je suis bien chez le docteur Vincent ?

C'est toi, Nicolas ?

Confirmer

> Oui, c'est moi.
> Tout à fait.

Oui, je vous écoute.
Oui, c'est lui-même /
elle-même.

En cas d'erreur

> C'est un faux numéro.

Vous vous trompez de numéro.
Quel numéro demandez-vous ?
Désolé(e), il n'y a personne de
ce nom ici.
Vous pouvez répondre :
Excusez-moi, je me suis trompé
de numéro.
Je suis désolé(e), j'ai fait une
erreur.

Demander à parler à quelqu'un

> Est-ce que je pourrais parler à Évelyne ?

Je voudrais parler à M. Sylvestre.
Je voudrais le poste 546.
Le service réservations, s'il vous plaît.
Pourriez-vous me passer la
comptabilité ?
Puis-je parler à monsieur le
directeur ?
Réponse :
Vous êtes madame… /
monsieur… ?
Qui est à l'appareil ?
C'est de la part de qui ?
Ne quittez pas.
Un moment, s'il vous plaît.
Je vous la / le passe.
Veuillez attendre un instant, je
vais la / le chercher.

Votre correspondant est en ligne

C'est occupé.

Je regrette, elle est en communication.

Vous patientez ?

Préférez-vous attendre quelques instants ou rappeler ?

Le correspondant est absent

Elle est absente.

Il n'est pas là.

Vous pouvez rappeler plus tard ?

Voulez-vous lui laisser un message ?

Vous pouvez répondre :

Je peux laisser un message ?

Je rappellerai plus tard.

Vous savez quand il rentrera ?

Pouvez-vous lui dire que j'ai appelé ?

LE CORRESPONDANT EST LÀ

Objet de l'appel

C'est au sujet de l'annonce.

C'est pour une réservation.

Je vous appelle pour avoir un renseignement.

Je t'appelle pour voir si tu veux venir dîner avec moi.

Problèmes de compréhension

La ligne est mauvaise.

Je vous entends très mal.

Je ne vous entends pas bien.

Pouvez-vous parler plus fort ?

il y a de la friture = il y a des bruits qui perturbent la communication

Communication interrompue

> On a été coupés.
>
> Il a raccroché !

Quand vous rappelez

> Je ne sais pas ce qui s'est passé. Nous avons été coupés.

Interrompre

> Je suis désolé(e), il faut que je raccroche.

Excusez-moi, je dois raccrocher.

Excusez-moi, on m'appelle sur
une autre ligne.

Conclure

> (Voir **Remercier**, page 28.)
>
> Au revoir.
>
> Merci d'avoir appelé.

Merci de votre appel.

---

passer un coup de fil = téléphoner

être pendu au téléphone (FAM.) ou passer sa vie au téléphone
= téléphoner très longtemps

les pages jaunes : Annuaire par profession.

la liste rouge : Liste des abonnés qui veulent garder secret leur
numéro (service payant).

Lettre professionnelle ou administrative

Modèle de présentation d'une lettre administrative ou professionnelle

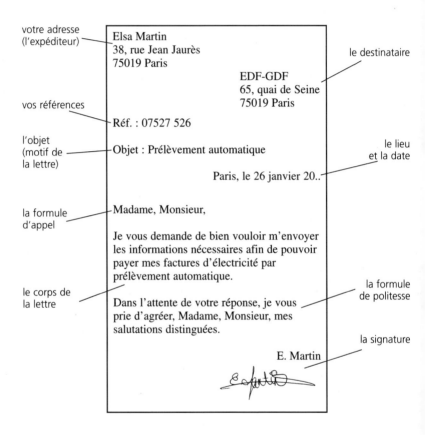

votre adresse (l'expéditeur)

Elsa Martin
38, rue Jean Jaurès
75019 Paris

le destinataire

EDF-GDF
65, quai de Seine
75019 Paris

vos références

Réf. : 07527 526

l'objet (motif de la lettre)

Objet : Prélèvement automatique

le lieu et la date

Paris, le 26 janvier 20..

la formule d'appel

Madame, Monsieur,

Je vous demande de bien vouloir m'envoyer les informations nécessaires afin de pouvoir payer mes factures d'électricité par prélèvement automatique.

le corps de la lettre

Dans l'attente de votre réponse, je vous prie d'agréer, Madame, Monsieur, mes salutations distinguées.

la formule de politesse

E. Martin

la signature

Si vous écrivez au nom d'une société, utilisez **nous** *plutôt que* **je** *(sauf si vous êtes concerné(e) personnellement).*

Avertissement : *Vous remarquerez que toutes les structures de cette partie du chapitre appartiennent au registre formel.*

POUR S'ADRESSER AU DESTINATAIRE

Vous ne le connaissez pas
Madame, Monsieur, Messieurs
Vous ne connaissez que son nom ou sa fonction
Madame,
Monsieur,
Monsieur le Directeur / Madame la Directrice,
Monsieur le Président,
Vous connaissez bien la personne ou pour une lettre commerciale, publicitaire
Cher Monsieur,
Chère Madame,
À un avocat ou à un notaire
Maître,

ACCUSER RÉCEPTION

J'ai bien reçu votre lettre du 12 novembre 20..
Suite à votre lettre du 18 février 20..,...
Suite à notre entretien (conversation) téléphonique du...,...
En réponse à votre courrier du...,...
Je vous remercie de votre lettre du....,...
Votre lettre du ... a retenu toute notre attention.
Nous accusons réception de votre lettre du...

INFORMER

Je vous fais part de...
Je vous adresse...
Je dois vous informer de...
J'ai l'honneur de vous informer que... (TRÈS FORMEL)

Une bonne nouvelle
J'ai le plaisir de vous faire savoir que...
J'ai le plaisir de vous annoncer...
C'est avec plaisir que je vous informe...

Une mauvaise nouvelle

J'ai le regret de vous informer que…

Je suis au regret de vous faire savoir que… (TRÈS FORMEL)

Nous regrettons (vivement) de ne pas pouvoir…

C'est avec regret que nous vous informons… (TRÈS FORMEL)

Il m'est malheureusement impossible de…

Nous sommes dans l'impossibilité de…

Nous nous voyons dans l'obligation de…

CONSTATER

Je constate que vous…

Je note…

Je prends (bonne) note de…

Nous prenons acte de… (RECH.)

RAPPELER QUELQUE CHOSE

Je vous rappelle…

Je me permets de vous rappeler…

Je crois utile de vous rappeler…

DEMANDER QUELQUE CHOSE

Je vous prie de (bien vouloir)…

Je vous prie d'avoir l'obligeance de…

Je vous demande de bien vouloir…

Je vous serais obligé(e) de…

Je vous saurais gré de… (RECH.)

Nous vous serions reconnaissants de nous adresser…

Nous vous prions de nous faire connaître…

EFFECTUER UNE COMMANDE

Veuillez m'adresser / m'envoyer…

Je vous prie de m'adresser / m'expédier…

Après avoir consulté votre catalogue, nous vous passons commande de…

Je vous demande de me faire parvenir, dans les plus brefs délais,…

PROTESTER

Dans une première lettre de protestation, plutôt que d'utiliser des termes forts, manifestez plutôt votre surprise:

Je suis surpris(e) de ne pas avoir reçu…

Je m'étonne de…

N'ayant pas reçu votre catalogue, je suis dans l'impossibilité de…

S'EXCUSER

Veuillez m'excuser pour…

Je vous prie de (bien vouloir) m'excuser pour…

Veuillez accepter toutes nos excuses pour…

Nous regrettons beaucoup cet incident,…

Vous voudrez bien nous excuser pour ce fâcheux contretemps…

Nous tenons à vous présenter nos excuses pour…

ANNEXE

Veuillez trouver ci-joint…

Vous trouverez en annexe…

CONCLUSION

Rester à la disposition de quelqu'un

Restant à votre disposition pour tout renseignement complémentaire,…

Me tenant à votre (entière) disposition,…

Je reste à votre (entière) disposition (pour tout renseignement complémentaire),…

Renouveler des excuses

En vous renouvelant mes excuses,…

Nous vous renouvelons nos excuses pour…

En espérant que vous nous garderez toute votre confiance,…

Remercier
Je vous remercie d'avance,...
Vous remerciant par avance,...
Avec nos remerciements (anticipés),...

Attendre
Dans l'attente de votre réponse,...
En attendant votre réponse,...
Comptant sur une réponse rapide de votre part,...

Espérer
Nous espérons que...
Dans l'espoir d'une réponse favorable de votre part,...
Espérant une suite favorable,...

FORMULE DE POLITESSE
Vous reprenez la formule du début de la lettre
Veuillez agréer, Madame, l'expression de mes salutations distinguées.
Je vous prie d'agréer, Monsieur, l'assurance de mes sentiments les meilleurs.
Veuillez croire, Madame, à l'assurance de mes salutations distinguées.
Je vous prie de croire, Monsieur, à mes cordiales salutations / mes sentiments distingués.
Nous vous prions de croire, Monsieur, à nos sentiments dévoués.
(Pour un client.)

Attention, avec des structures comme **En espérant...** *ou* **En vous remerciant...,** *vous pouvez seulement utiliser* **Je vous prie d'agréer...** *Il serait incorrect d'utiliser* **Veuillez...**

Lettre amicale

POUR DÉBUTER LA LETTRE

Cher Omar,
Chère Tania,
Bonjour,

Coucou,
Salut,

POUR FINIR LA LETTRE

À une connaissance

Cordialement,
Sincèrement,
Amicalement,

À un ami ou une amie

Amitiés,
Affectueusement,
Bons baisers,

Grosses bises,
(Gros) bisous,
Je t'embrasse,
Je t'embrasse affectueusement,
Je t'embrasse tendrement,
À + (= À plus tard)

Envoyer une lettre

Madame Huguette Peyot
24, avenue Gambetta
84000 AVIGNON
                    FRANCE

> *Abréviations utilisées
> dans l'adresse :*
> av. = avenue
> bd = boulevard

À la poste

Je voudrais expédier un paquet en Irlande.

Je voudrais un carnet de timbres.

Je voudrais un timbre.

Quel est le tarif pour la Roumanie ?

Je voudrais envoyer une lettre recommandée. Est-ce que vous avez un formulaire ?

Excusez-moi, où sont les boîtes aux lettres ?

Utiliser un ordinateur

Principales actions que vous pouvez effectuer en utilisant un ordinateur.

ALLUMER / ÉTEINDRE UN ORDINATEUR

Allumer / mettre en route l'ordinateur.

Allumer la bécane.

Éteindre l'ordinateur.

OUVRIR / FERMER

Ouvrir un fichier / un document.

Créer un fichier / un document / un nouveau dossier.

Fermer un fichier.

Quitter.

SÉLECTIONNER DES INFORMATIONS

Sélectionner un texte / une photo.

Faire un copier-coller.

Insérer / Déplacer des informations.

EFFACER UN DOCUMENT

Supprimer des données.

Envoyer un document à la corbeille.

ENREGISTRER DES INFORMATIONS

Enregistrer sur une disquette.
Graver un CD-Rom.
Télécharger un fichier.
Sauvegarder un document.
Stocker des données.

UTILISER DES FONCTIONS

Cliquer sur une icône dans la barre d'outils.
Cliquer sur un lien.
Cliquer deux fois ou double-cliquer.
Ouvrir / Fermer / Réduire une fenêtre.
Créer un raccourci.

PROBLÈMES

Votre ordinateur fonctionne mal

Il a planté.
Il déconne. (TRÈS FAM.)

Le scanner / Le modem est déconnecté.
Il faut réinstaller ce programme / ce logiciel.

Votre imprimante a des problèmes

L'imprimante ne marche / ne fonctionne pas.
Il y a un bourrage. (= Le papier est coincé.)
Il n'y a plus d'encre.

Internet

Se connecter sur Internet.
Se connecter au réseau.

Se brancher sur le net.

Si vous avez des problèmes

Je n'arrive pas à me connecter.
Le réseau est saturé.
La connexion est impossible.

COMMUNIQUER PAR INTERNET

Consulter ses mails.

Regarder sa boîte.

Vous avez un message.

Recevoir des e-mails.

Joindre un fichier attaché.

Je t'envoie un message.

Je te maile.

On chate demain.

ENREGISTRER UN SITE / UNE ADRESSE E-MAIL

Enregistrer une adresse dans le carnet d'adresses.

Ajouter un site aux favoris.

À savoir pour noter une adresse

@ = arobase *ou* at

- = tiret

DIALOGUES

AU TÉLÉPHONE

Erreur

M. MOREAU : Allô, Nouveaux Horizons ?

MME ALLAIN : Ah non, monsieur, c'est une erreur.

M. MOREAU : Vous n'êtes pas Nouveaux Horizons ?

MME ALLAIN : Non, monsieur. Quel numéro demandez-vous ?

M. MOREAU : Le 05 77 34 72 00.

MME ALLAIN : Ah ! vous avez fait un faux numéro.
Ici, c'est le 05 67.

M. MOREAU : Ah, merci. Excusez-moi, madame.

MME ALLAIN : Ce n'est rien, au revoir, monsieur.

Nouveaux Horizons

UN DISQUE : Nouveaux Horizons, bonjour.

M. MOREAU : Allô, bonjour madame. C'est pour une réservation.

LE DISQUE : Tapez sur la touche étoile.

MME MOREAU : Alors ? C'est le bon numéro, cette fois ?

M. MOREAU : Oui, mais c'est un disque. Chut, je n'ai rien entendu.

LE DISQUE : Nouveaux Horizons, bonjour.

M. MOREAU : …

MME MOREAU : Écoute, je vais passer à leur agence demain matin. Il y en a une juste à côté d'ici.

Standard

LA STANDARDISTE : Robot et Frères, j'écoute.

M. NOËL : Bonjour, je voudrais le poste 527, s'il vous plaît.

LA STANDARDISTE : Un moment, s'il vous plaît. *(Musique.)*

LA STANDARDISTE : Je suis désolée, ça ne répond pas. Voulez-vous rappeler plus tard ?

M. NOËL : Oui, d'accord. Vers quelle heure ?

LA STANDARDISTE : Dans une demi-heure.

M. NOËL : Entendu. Merci.

LA STANDARDISTE : Au revoir, monsieur.

Une demi-heure plus tard.

LA STANDARDISTE : Robot et Frères, bonjour.

M. NOËL : Bonjour, je voudrais le poste 527, s'il vous plaît.

LA STANDARDISTE : Oui, monsieur.

LA SECRÉTAIRE : Allô ?

M. NOËL : Allô, bonjour. Je voudrais parler à madame Bourdelle.

LA SECRÉTAIRE : C'est de la part de qui ?

M. NOËL : Monsieur Noël.

LA SECRÉTAIRE : Madame Bourdelle est en ligne. Vous patientez ?

M. NOËL : Euh… non. Je peux lui laisser un message ?

LA SECRÉTAIRE : Oui, bien sûr.

M. NOËL : Dites que M. Noël a téléphoné et qu'elle peut me rappeler à mon bureau aujourd'hui ou demain. Elle a mon numéro.

LA SECRÉTAIRE : Entendu. C'est noté.

M. NOËL : Merci, madame. Au revoir.

LA SECRÉTAIRE : Au revoir, monsieur.

À LA POSTE
La lettre recommandée

LA PRÉPOSÉE : Bonjour, monsieur.

UN CLIENT : Bonjour. Je viens chercher une lettre recommandée.

LA PRÉPOSÉE : Vous avez une pièce d'identité ?

LE CLIENT : Oui, voilà.

LA PRÉPOSÉE : Je suis désolée, votre lettre n'est pas là.

LE CLIENT : Mais j'ai reçu cet avis dans ma boîte tout à l'heure.

LA PRÉPOSÉE : Oui, mais le préposé n'est pas encore rentré de sa tournée. Repassez cet après-midi !

LE CLIENT : Alors, j'ai attendu vingt minutes pour rien ?

LA PRÉPOSÉE : Désolée, monsieur. Au suivant !

LETTRES

Changement d'adresse

Benoît Dupuis
30, rue du Temple
59000 LILLE

Compte n° 159 456 753 C

Crédit Libre
À l'attention de Mme CANON
12, rue de la Liberté
59000 LILLE

Obj. : Nouvelle adresse

Lille, le 3 juin 20..

Madame,

À compter du 1er juillet, je souhaiterais recevoir mes relevés de compte à ma nouvelle adresse :
>   33, rue Clémenceau
>   59000 LILLE

Je vous remercie d'avance et vous prie de croire, Madame, en l'assurance de mes salutations distinguées.

Benoît Dupuis

Lettre d'excuse

Marc Varrin
55, avenue l'Homme
56000 Vannes
Tél. : 06 57 24 59 69

Nantes, le 21 mai 20..

Monsieur,

Je vous prie d'excuser mon absence à notre rendez-vous du 19 mai.
Serait-il possible de m'accorder un nouvel entretien selon vos
disponibilités ?

Vous renouvelant mes excuses, je vous prie d'agréer, Monsieur, mes
cordiales salutations.

Marc Varrin

Lettre de commande

Corinne Sabatier
75, avenue de Paris
78000 Versailles
01 34 87 13 21

Obj. : Commande

Versailles, le 13 février 20..

Madame, Monsieur,

Je souhaiterais recevoir le réfrigérateur, dont la référence est
560 422, présenté dans votre catalogue.

Vous trouverez ci-joint un chèque comportant le prix de l'article ainsi
que les frais de livraison.

Dans l'attente de la réception de cette commande, veuillez agréer,
Madame, Monsieur, mes salutations distinguées.

Corinne Sabatier

Lettre de réclamation

Corinne Sabatier
75, avenue de Paris
78000 Versailles
01 34 87 13 21

Obj. : Réclamation

Versailles, le 13 mars 20..

Madame, Monsieur,

Le 13 février dernier, j'ai passé commande d'un réfrigérateur
(référence 560 422), présenté dans votre catalogue. Or, à ce jour,
je n'ai toujours pas reçu la marchandise alors que le chèque
(n° 258 147 369) a déjà été encaissé.

Je vous demande de faire le nécessaire dans les plus brefs délais ;
dans le cas contraire, je me verrai dans l'obligation d'engager un
recours auprès des instances concernées.

Veuillez agréer, Madame, Monsieur, mes salutations.

Corinne Sabatier

Carte de vacances

Salut les amis,

Nous vous envoyons un petit bonjour ensoleillé de Corse. Nos vacances se passent très bien. Nous nous amusons beaucoup et les activités ne manquent pas.

J'espère que, pour vous, tout va bien.

Nous vous embrassons très fort et vous disons à bientôt.

Yannick et Émilie

P.-S. : L'avion arrive à 5 h du matin dimanche prochain ! Rendez-vous à l'aéroport.

M. et Mme Thierry
24, rue Molière
76000 ROUEN

CONSOMMER

Au café

ALEXANDRE : Excusez-moi. C'est libre ?

UNE CLIENTE : Euh… non. J'attends quelqu'un.

Ils s'assoient plus loin.

LE GARÇON : Bonjour. Qu'est-ce que vous prenez ?

ALEXANDRE : Pour moi, un café. Et toi ?

ÉLODIE : De l'eau minérale.

LE GARÇON : Gazeuse ou plate ?

ÉLODIE : Gazeuse.

Plus tard…

ALEXANDRE : Monsieur, je vous dois combien ?

LE GARÇON : Le ticket est sur la table.

ALEXANDRE : Ah, oui !… Excusez-moi, mais je crois qu'il y a une erreur. Nous n'avons pas pris de croque-monsieur.

LE GARÇON : Oh ! je suis désolé. Je me suis trompé de table. Voilà votre ticket. Ça fait six euros.

Dans un magasin

DIRE QUE L'ON VA FAIRE DES COURSES

Je vais faire des courses / des achats.

Je pars en courses.

Je vais faire les soldes.

faire du lèche-vitrines = regarder les vitrines des magasins

Avertissement : *vous remarquerez que toutes les structures de ce chapitre appartiennent au registre formel.*

À LA RECHERCHE D'UN MAGASIN

(Voir Localiser quelque chose, *page 46 ;* Interroger, *page 61.)*

Pouvez-vous me dire où se trouve le supermarché ?

Est-ce que vous savez où est le centre commercial ?

Est-ce qu'il y a une librairie près d'ici ?

On peut vous répondre :

Vous trouverez ce magasin dans la deuxième rue à droite.

Vous allez le trouver sur votre droite au bout de cette rue.

Je ne sais pas, je ne suis pas du quartier.

À ma connaissance, il n'y en a pas.

À LA RECHERCHE D'UN PRODUIT

Savez-vous où sont les boissons ?

Où est-ce que je peux trouver les fruits et légumes ?

Le rayon lingerie, s'il vous plaît ?

On peut vous répondre :

C'est au fond du magasin.

Deuxième rayon à gauche.

Je vais vous montrer.

Il n'y en a pas dans ce supermarché.

Cette boutique n'en vend pas.

Principales indications à connaître
Magasin ouvert de 10 h à 21 h.
Fermé le lundi.
Vente à emporter.
À consommer avant le…
Date limite de vente : …
Les disques ne sont ni repris ni échangés.
La maison ne fait pas crédit.
La maison n'accepte pas les chèques.
TTC (= Toutes Taxes Comprises)
TVA (= Taxe à la Valeur Ajoutée)

Acheter

ACCUEIL

Je peux vous aider ?
Vous désirez un renseignement ?
Madame ? / Mademoiselle ? / Monsieur ?
Vous désirez ?
Puis-je vous aider ? (RECH.)

SI VOUS SAVEZ CE QUE VOUS VOULEZ

Je voudrais un paquet de farine, s'il vous plaît.
Il me faudrait une boîte de petits-pois / une bouteille d'eau /
une demi-douzaine d'œufs.
Est-ce que vous avez des enveloppes ?
Avez-vous des timbres fiscaux ?
Donnez-moi une demi-livre de beurre ! *(1 livre = 500 grammes)*
Le plein, s'il vous plaît. *(À la station-service.)*

SI VOUS VOULEZ VOIR QUELQUE CHOSE

Est-ce que vous pouvez me montrer le sac qui est là-bas ?
Je voudrais voir la robe qui est dans la vitrine.
J'aimerais voir l'appareil photo à gauche.

SI LE PRODUIT N'EST PAS DISPONIBLE

On peut vous dire :

Désolé(e), ça ne se fait plus.

Je suis désolé(e), nous n'en avons pas.

Ah ! je n'en ai plus.

Vous pouvez demander :

Est-ce que vous savez quand vous allez en recevoir ?

Est-ce que vous savez où je pourrai en trouver ?

Vous ne savez pas qui en vend dans le quartier ?

PASSER UNE COMMANDE

Vous pouvez me le commander ?

Je voudrais commander un poulet fermier pour demain.

Pourriez-vous me l'avoir pour lundi prochain ?

On peut vous dire :

Nous allons rédiger le bon de commande.

Pour quand en avez-vous besoin ?

Vous le voulez pour quand ?

Vous êtes monsieur / madame... ?

Je le mets à quel nom ?

RÉCEPTIONNER UN PRODUIT

Je viens chercher ma commande.

Je viens pour la commande d'hier. C'est prêt ?

On vous demandera :

C'est à quel nom ?

Vous avez le bon de commande ?

Si le produit n'est pas (exactement) celui qui a été demandé, on vous dira :

Ça va comme ça ?

Ça ira quand même ?

Cela vous convient ?

Ce n'est pas tout à fait le même, mais c'est d'aussi bonne qualité.

Vous pourrez répondre :

C'est bon, je le prends quand même.

Il n'y a pas de problème.

Ce n'est pas ce que j'avais commandé.

Vous m'aviez montré autre chose lors de la commande.

Désolé(e), ça ne me convient pas.

Non, je n'aime pas du tout.

INFORMATIONS SUR LE PRIX

C'est combien ?

Quel est le prix de cette robe ?

Vous pourriez me dire le prix de cette statuette ?

Il / elle fait combien ?

Si vous faites un gros achat :

Quelles sont les conditions de vente ?

Est-ce que vous pouvez me faire un devis pour ces travaux ?

Il est vivement conseillé de demander un devis écrit avant de commencer des travaux. Vous éviterez ainsi un désaccord lors du paiement.

On peut vous dire :

Je vous fais un prix d'ami.

Nous vous faisons des facilités de paiement.

Je vous fais une remise de 5 %.

Vous avez un crédit gratuit de trois mois.

Vous pouvez répondre :
C'est (trop) cher.
Vous n'avez pas moins cher ?

ne pas regarder à la dépense = ne pas hésiter à dépenser beaucoup d'argent
je l'ai eu pour une bouchée de pain = je l'ai eu pour pas cher

DÉCISION

Pour accepter
C'est d'accord.
Je prends celui-là.
Vous pouvez me le livrer ? *(S'il s'agit d'un achat volumineux.)*

Pour refuser
Le plus simple est de dire **Je vais réfléchir.**
La formulation **Non, je ne le / la prends pas** *peut être trop directe.*

Le vendeur / La vendeuse peut ajouter :
C'est un (très) bon choix.
Très bien. Ce sera tout ?
D'accord. Et avec ça ?
Il vous faut autre chose ?
Vous désirez autre chose ?
Vous pouvez répondre :
C'est tout, merci.
Ce sera tout.

ça se vend comme des petits pains = ce produit a beaucoup de succès

PAIEMENT

Je vous dois combien ?
Ça fait combien ?
Il y a une réduction pour les étudiants ?
Est-ce que vous acceptez les chèques ?
Je peux payer avec une carte de crédit ?
Vous prenez la carte bleue ?
Est-ce que je peux payer en plusieurs mensualités ?
On peut vous répondre :
Ça fait 30 euros.
72 euros, s'il vous plaît.
Ça vous fera 13,15 euros. *(On dit :* treize euros quinze.*)*
Je vous fais un reçu ?
Je vous établis une facture ?

S'IL Y A UN PROBLÈME DE RENDU DE MONNAIE

Excusez-moi, je crois qu'il y a une erreur.
Vous vous êtes trompé(e) dans la monnaie.
Vous avez oublié de me rendre la monnaie.

Réclamer

Il y a un (petit) problème.
J'ai une réclamation à faire.
J'aimerais avoir des explications !

SI UN APPAREIL A UN PROBLÈME DE FONCTIONNEMENT

Ça ne marche pas.
Ça ne fonctionne pas.
Ça fait un bruit bizarre.
Je n'arrive pas à le faire démarrer.

SI VOUS ÊTES MÉCONTENT D'UN PRODUIT OU D'UN SERVICE

Je ne suis pas (du tout) satisfait(e) de vos services.

Vous m'aviez assuré que ça fonctionnait aussi avec des piles.

Je suis (vraiment) mécontent(e) de vos produits.

On peut vous répondre :

Je vais voir ce que je peux faire pour vous.

Nous allons examiner votre réclamation.

Je m'occupe de votre problème (tout de suite).

Vous avez votre ticket de caisse ?

Vous pouvez me montrer la facture ?

Vous avez apporté le certificat de garantie ?

Après examen des documents, on peut vous dire :

Nous allons faire tout notre possible.

Nous allons arranger ça.

Nous allons trouver une solution.

Je suis désolé(e), mais la garantie n'est plus valable.

Cet appareil n'est plus sous garantie.

Je regrette mais la date de validité a expiré.

Je regrette mais nous ne sommes pas responsables.

Ce n'est pas de notre faute.

C'est indépendant de notre volonté. (RECH.)

VOUS POUVEZ DEMANDER À PARLER AVEC UN RESPONSABLE

Vous voulez bien appeler un responsable.

Je voudrais voir le directeur.

Appelez le chef de service.

Au café

S'INSTALLER

En général, dans un café, c'est vous qui choisissez votre table.

C'est libre ?

Je peux prendre cette chaise ?

Il y a quelqu'un ici ?

Est-ce que je peux m'asseoir ici ?

On peut vous répondre :

Oui, bien sûr.

Je vous en prie.

Désolé(e), il y a quelqu'un.

Je regrette, c'est pris.

COMMANDER

Que voulez-vous boire ?

Qu'est-ce que je vous sers ?

Vous désirez ?

Vous commandez :

Je voudrais une orange pressée.

Je prendrai une eau gazeuse.

Je vais prendre un café.

Un demi, s'il vous plaît. (= Un grand verre de bière, s'il vous plaît.)

Pour moi, ce sera une limonade.

PAYER

Ça fait combien ?

Je vous dois combien ?

Ça fait 12,50 euros, s'il vous plaît. (*On dit :* **douze euros cinquante**.)

Gardez la monnaie.

En France, dans les cafés et les restaurants, le service est toujours compris. Mais vous pouvez laisser un peu plus si vous le désirez.

Au restaurant

RÉSERVER PAR TÉLÉPHONE

Je voudrais réserver une table.

Auriez-vous une table pour deux ?

Le serveur / La serveuse peut vous demander :

À quel nom ?

À quelle heure ?

Pour combien de personnes ?

Salle fumeurs ou non-fumeurs ?

L'ACCUEIL

 En général, vous devez attendre que l'on vous place à table.

Nous sommes quatre.

Vous avez une table pour cinq personnes ?

On peut vous demander :

Vous avez réservé ?

Avez-vous une réservation ?

À quel nom ?

LA CARTE

Si le serveur / la serveuse oublie de vous donner la carte :

Je peux avoir la carte ?

On pourrait avoir la carte ?

Je pourrais avoir la carte des vins ?

En vous remettant la carte, le serveur / la serveuse peut vous demander :

Désirez-vous un apéritif ?

Vous prendrez un apéritif ?

(Voir **Commander***, page 170.)*

COMMANDER

Le serveur / La serveuse vous demande :

Vous avez choisi ?

Je peux prendre la commande ?

Qu'est-ce qui vous ferait plaisir ?

Qu'est-ce que vous prenez comme dessert ?

Vous pouvez répondre :

Nous n'avons pas encore choisi.

Un moment, s'il vous plaît.

Quel est le plat du jour ?

Qu'est-ce que vous nous recommandez avec le poulet ?

Je prendrai le menu à 30 euros.

 Pour les viandes rouges, le serveur pourra vous demander le degré de cuisson : **bleu – saignant – à point – bien cuit**.

DEMANDER DES INFORMATIONS À PROPOS DES PLATS

La blanquette de veau, qu'est-ce que c'est ?

Est-ce qu'il y a des tomates dans la salade mixte ?

Qu'est-ce qu'il y a comme garniture / légumes avec le saumon ?

La sauce américaine, c'est très pimenté ?

 Un menu traditionnel français se compose :
- d'un apéritif (éventuellement) ;
- d'une entrée ;
- d'un plat de viande ou de poisson avec des légumes ;
- d'une salade (éventuellement) ;
- de fromage ;
- d'un dessert ;
- d'un café et d'un digestif (éventuellement).

PAYER

Monsieur, je peux avoir l'addition ?
Madame, pouvez-vous apporter l'addition ?

une addition salée = une addition exagérée, très chère

À l'hôtel

DEMANDER UNE CHAMBRE

Je voudrais une chambre pour une personne avec bain / douche.
Avez-vous une chambre avec vue sur la mer ?
Le / La réceptionniste peut vous demander :
Combien de temps comptez-vous rester ?
Désirez-vous un lit double ou des lits jumeaux ?
Vous prenez la pension (complète) / la demi-pension ?

 Pension complète : petit déjeuner + deux repas.
Demi-pension : petit déjeuner + un repas.

Nous sommes désolés, tout est complet.
Je regrette, nous n'avons plus de chambres disponibles.

LE PETIT DÉJEUNER

Est-ce que le petit déjeuner est compris ?
Le petit déjeuner est servi à quelle heure ?
Où est servi le petit déjeuner ?

SERVICES SUPPLÉMENTAIRES

Pouvez-vous me réveiller à 7 h 30, s'il vous plaît ?
Est-ce que vous pourriez m'appeler un taxi ?
Est-il possible d'avoir accès à Internet ici ?
Serait-il possible d'envoyer un e-mail ?

PAYER

Pouvez-vous me préparer la note, s'il vous plaît ?

À la banque

Je vais passer à la banque.
Je cherche un distributeur automatique.
Je cherche un bureau de change.

CHANGER

Je voudrais changer cent dollars.
Je voudrais changer un traveller's chèque / un chèque de voyage.
Quel est le taux de change ?

OPÉRATIONS

Quels sont les formalités pour ouvrir un compte ?
Je voudrais retirer 1 000 euros sur mon compte courant.
Je voudrais faire un virement à l'étranger.
Je voudrais commander un carnet de chèques.
C'est pour une remise de chèque(s).
Je voudrais solder mon compte. (= Je voudrais fermer mon compte.)
L'employé(e) peut vous dire :
Adressez-vous au guichet 6 / à la caisse.
Quel est votre numéro de compte ?
Pourriez-vous endosser ce chèque ? (= Pourriez-vous signer au dos du chèque ?)
Veuillez signer ici.

PROBLÈMES

J'attends un virement depuis une semaine et il n'est pas encore arrivé.
On m'a volé mon carnet de chèques. Je voudrais faire opposition.
J'ai perdu ma carte de crédit.

être dans le rouge : *Votre compte en banque a un solde débiteur.*
un chèque sans provision : *Quand vous n'avez pas assez d'argent sur votre compte.*

Hôtel de la plage

LA RÉCEPTIONNISTE : Hôtel Beaurivage, bonjour.

M. MARTINEZ : Bonjour, madame. Je voudrais réserver une chambre pour deux personnes, le week-end prochain.

LA RÉCEPTIONNISTE : Pour deux nuits ?

M. MARTINEZ : Oui.

LA RÉCEPTIONNISTE : Alors… nous avons une chambre avec bain à 80 euros la nuit ou une chambre avec douche à 70 euros, pour deux personnes.

M. MARTINEZ : Le petit déjeuner est compris ?

LA RÉCEPTIONNISTE : Oui, petit déjeuner compris.

M. MARTINEZ : Est-ce que vous faites la demi-pension ?

LA RÉCEPTIONNISTE : Ah non, monsieur, je regrette. À cette période, le restaurant est fermé. Mais il y a un excellent restaurant juste en face de l'hôtel.

M. MARTINEZ : Bien. Alors je vais prendre la chambre avec bain.

LA RÉCEPTIONNISTE : Oui, c'est à quel nom ?

M. MARTINEZ : Martinez.

LA RÉCEPTIONNISTE : C'est noté. Vous pensez arriver à quelle heure ?

M. MARTINEZ : Nous arriverons vendredi par le train de 16 h.

LA RÉCEPTIONNISTE : C'est parfait. Au revoir, monsieur.

M. MARTINEZ : Au revoir, madame. À vendredi.

Photos

LE CLIENT : Bonjour. Je voudrais faire développer ce film.

LE VENDEUR : Oui, vous le voulez en mat ou en brillant ?

LE CLIENT : Brillant, s'il vous plaît.

LE VENDEUR : Quel format ?

LE CLIENT : En 10 x 15.

LE VENDEUR : En ce moment nous avons une promotion. Vous pouvez faire tirer vos photos en 13 x 19 pour seulement 3 euros de plus.

LE CLIENT : C'est d'accord. Je voudrais aussi une pellicule 200 ISO, s'il vous plaît.

LE VENDEUR : Oui, couleur ou noir et blanc ?

LE CLIENT : Couleur. C'est combien ?

LE VENDEUR : 8 euros.

LE CLIENT : Voilà.

LE VENDEUR : Merci, monsieur.

☀ Au restaurant – réservation

LE PATRON : Au Bon Accueil, bonjour.

MME DUMAS : Allô, bonjour. Je voudrais réserver une table pour demain soir.

LE PATRON : Oui, madame, à quelle heure ?

MME DUMAS : Huit heures et demie.

LE PATRON : Pour combien de personnes ?

MME DUMAS : Quatre personnes.

LE PATRON : C'est à quel nom ?

MME DUMAS : Dumas.

LE PATRON : Comme l'écrivain ?

MME DUMAS : Quel écrivain ?

LE PATRON : Alexandre Dumas, l'auteur de *Notre-Dame de Paris* !

MME DUMAS : Euh… oui.

LE PATRON : Bien, c'est noté. À demain, madame.

MME DUMAS : Au revoir.

Nous rappelons au lecteur distrait que c'est Victor Hugo qui a écrit Notre-Dame de Paris.

☀ Au restaurant – la commande

LE GARÇON : Vous avez choisi ?

M. SIMEONI : J'ai une petite question à vous poser. Qu'est-ce que c'est le poulet du chef ?

LE GARÇON : C'est un poulet cuit au vin blanc, servi avec des champignons et une sauce à la crème. Je vous le recommande.

M. SIMEONI : Bien. Alors, nous prendrons deux menus à 20 euros. Avec, comme entrée, deux hors-d'œuvre variés et, pour moi, une entrecôte maître d'hôtel, et toi, Bernadette ?

MME SIMEONI : Une sole grillée. Qu'est-ce qu'il y a comme garniture avec ?

LE GARÇON : Des pommes vapeur. Quelle cuisson, l'entrecôte ?

M. SIMEONI : Bien cuite.

LE GARÇON : Et comme boisson ?

M. SIMEONI : Une demi-bouteille de Crozes-Hermitage et une carafe d'eau, s'il vous plaît.

Au restaurant – l'entrecôte

M. SIMEONI : Monsieur, s'il vous plaît ?

LE GARÇON : Oui, monsieur ?

M. SIMEONI : Je vous avais demandé une entrecôte bien cuite et elle est saignante.

LE GARÇON : Oh ! excusez-moi, monsieur, je vous la ramène tout de suite.

Au restaurant – l'addition

M. DUMAS : Monsieur, vous m'apporterez l'addition, s'il vous plaît ?

M. LEBRUN : Ah, non. C'est pour moi.

M. DUMAS : Pas du tout. Je t'avais dit que je vous invitais.

M. LEBRUN : C'est hors de question. Cette fois, c'est notre tour.

M. DUMAS : Non, non.

MME DUMAS : Qu'est-ce qu'on fait, alors ? Chacun paye sa part ?

La petite jupe noire

LA CLIENTE : Bonjour. Je pourrais voir la petite jupe noire qui est en vitrine ?

LA VENDEUSE : Oui, mademoiselle. Quelle taille faites-vous ?

LA CLIENTE : Du 38.

LA VENDEUSE : Je vais vous chercher ce modèle. Je crois que nous en avons encore.

Quelques instants plus tard.

LA VENDEUSE : La voilà.

LA CLIENTE : Je peux l'essayer ?

LA VENDEUSE : Bien sûr. Les cabines sont au fond du magasin, à droite.

Encore plus tard.

LA VENDEUSE : Elle vous va parfaitement.

LA CLIENTE : Vous pensez ? Je la trouve un peu large à la ceinture.

LA VENDEUSE : Quelques retouches et elle sera impeccable.

LA CLIENTE : Vous pourriez les faire pour quand ?

LA VENDEUSE : Pour demain soir, si vous voulez.

LA CLIENTE : Je ne sais pas encore si je la prends. Je vais réfléchir.

LA VENDEUSE : Comme vous voulez, mademoiselle.

Assistance Internet

UN DISQUE : Yuppie Assistance, bonjour. Veuillez patienter. Un assistant Yuppie va vous répondre immédiatement.

L'ASSISTANT : Allô ?

LE CLIENT : Bonjour. J'ai un problème. J'ai un abonnement illimité mais très souvent la liaison est coupée après quelques minutes.

L'ASSISTANT : Quel est votre nom ?

LE CLIENT : Normand.

L'ASSISTANT : Votre numéro d'abonné ?

LE CLIENT : B 124 356.

L'ASSISTANT : Merci. C'est peut-être un problème de modem.

LE CLIENT : Je ne crois pas. J'ai un autre serveur gratuit et tout fonctionne parfaitement.

L'ASSISTANT : Il est possible que cela arrive aux heures de pointe dans votre zone géographique.

LE CLIENT : Mais c'est très désagréable quand je charge des documents, je paye assez cher !

L'ASSISTANT : Je comprends, monsieur, je fais quelques vérifications et je vous rappelle.

LE CLIENT : Bon. Merci.

Librairie

LA CLIENTE : Bonjour, je cherche *Les Trois Mousquetaires*, avec des illustrations.

LE LIBRAIRE : Vous avez regardé au rayon jeunesse ?

LA CLIENTE : Oui, mais je ne le trouve pas.

LE LIBRAIRE : Il est peut-être épuisé.

LA CLIENTE : C'est possible de le commander ?

LE LIBRAIRE : Oui, bien sûr.

LA CLIENTE : Vous l'aurez quand ?

LE LIBRAIRE : Oh ! d'ici quinze jours.

À la caisse

LA CLIENTE : Excusez-moi ! Je crois que vous avez fait une erreur en me rendant la monnaie.

LA CAISSIÈRE : … ?

LA CLIENTE : Ça faisait 18,35 €. Je vous ai donné un billet de 50 € et vous ne m'avez rendu que 21,65 €. Il manque 10 € !

LA CAISSIÈRE : Oh ! je suis désolée. Voilà un billet de 10 €.

LA CLIENTE : Merci. Mais ce n'est pas la première fois que ça arrive.

Plomberie express

MME RICHARD : Allô ? Plomberie-Express ?

LE PLOMBIER : Oui, madame.

MME RICHARD : Ici, madame Richard. J'ai une fuite dans ma salle de bains. Ça coule chez mon voisin du dessous chaque fois que je prends un bain. Est-ce que vous pouvez venir ?

LE PLOMBIER : C'est que… je suis très occupé en ce moment… Je pourrai peut-être passer après-demain.

MME RICHARD : Après-demain seulement ? Mais c'est vous qui avez fait l'installation !

LE PLOMBIER : Vous avez coupé l'arrivée d'eau ?

MME RICHARD : Bien sûr !

LE PLOMBIER : Bon. Je tâcherai de passer aujourd'hui, en début de soirée. Vous me rappelez votre adresse ?

MME RICHARD : 13, chemin des Oliviers. Alors, à ce soir ?

LE PLOMBIER : Je vais faire mon possible. Au revoir, madame.

Au marché

MME COLBERT : Qu'est-ce que tu as envie de manger demain midi ?

M. COLBERT : Je ne sais pas, c'est comme tu veux.

MME COLBERT : C'est toujours moi qui dois choisir.
Un rosbif-haricots verts, ça te va ?

M. COLBERT : Très bien.

. . . .

MME COLBERT : Bonjour. Donnez-moi un rosbif d'un kilo !

LE BOUCHER : Il y en a un peu plus. Ça ira quand même ?

MME COLBERT : Oui.

LE BOUCHER : Et avec ça ?

MME COLBERT : Deux tranches de jambon, s'il vous plaît.

. . . .

LE VENDEUR : Et pour la petite dame ?

MME COLBERT : Je ne suis pas une petite dame… Une livre de
haricots verts et six tomates pas trop mûres. Vous
n'avez plus de courgettes ?

LE VENDEUR : Ah, non ! Vous arrivez trop tard. Mais j'en aurai
demain. Ce sera tout ?

MME COLBERT : Oui. Ah, non ! J'oubliais. Deux citrons, s'il vous
plaît.

LE VENDEUR : Ça vous fait 8,30 €.

. . . .

LE CRÉMIER : Qu'est-ce que je vous sers ?

MME COLBERT : Un camembert bien fait, un chèvre pas trop sec
et… un petit pot de crème fraîche. *À son mari.* Tu
veux bien aller chercher une baguette et un petit
campagne* pendant que je fais la queue chez le
poissonnier ?

M. COLBERT : Tu me donnes de l'argent ? J'ai oublié mon porte-
monnaie.

MME COLBERT : Décidément !

* *un pain de campagne*

Chez le coiffeur

LA COIFFEUSE : Bonjour, madame.

LA CLIENTE : Bonjour, je viens pour un brushing.

LA COIFFEUSE : Vous avez pris rendez-vous ?

LA CLIENTE : Oui, pour 17 heures.

LA COIFFEUSE : Vous êtes madame Le Petit ?

LA CLIENTE : C'est ça.

LA COIFFEUSE : Bien, madame. Asseyez-vous au bac. On s'occupe de vous tout de suite.

. . . .

LA COIFFEUSE : Ça va, la température ?

LA CLIENTE : C'est un peu froid !

LA COIFFEUSE : Ça va mieux maintenant ?

LA CLIENTE : Oui.

LA COIFFEUSE : Dites, vos cheveux sont secs, qu'est-ce que vous utilisez comme produits ?

LA CLIENTE : Rien de spécial, du shampoing et de l'après-shampoing.

LA COIFFEUSE : Et pas de masque hydratant ?

LA CLIENTE : Non.

LA COIFFEUSE : Je vous recommande d'en faire un par semaine et vous verrez le résultat au bout d'un mois. Si vous voulez, nous avons un très bon masque pour votre type de cheveux. Je vais l'appliquer et vous constaterez la différence.

Plus tard.

LA COIFFEUSE : Qu'est-ce que je vous fais ?

LA CLIENTE : Je veux juste un brushing. Et coupez le minimum de cheveux.

LA COIFFEUSE : D'accord. Avez-vous déjà essayé des mèches ?

LA CLIENTE : Non, jamais.

LA COIFFEUSE : Vous devriez. Je pense que ça vous irait bien ! Les tons cuivrés mettraient en valeur votre visage.

LA CLIENTE : Vous croyez ?… Je ne sais pas.

LA COIFFEUSE : Essayez, je vous assure. En plus, c'est très à la mode.

LA CLIENTE : Vous êtes sûre ? Bon d'accord. J'espère que je ne vais pas le regretter.

LA COIFFEUSE : Je vais préparer la couleur et je reviens tout de suite.

À la fin.

LA COIFFEUSE : Et voilà.

LA CLIENTE : C'est bizarre de me voir avec ces mèches. Je n'aime pas beaucoup.

LA COIFFEUSE : Vous avez tort, ça vous va très bien. C'est parce que vous n'êtes pas habituée.

LA CLIENTE : Vous croyez ?

Service après-vente

SUZANNE : Dis ! Tu ne trouves pas que le scanner fait un bruit bizarre ?

GILLES : C'est vrai. Il déconne* complètement.

SUZANNE : Il faut le porter à réparer.

GILLES : D'accord. Je m'en occupe demain.

Le lendemain, au magasin.

GILLES : Je vous rapporte ce scanner. Il fait un bruit bizarre. Il grésille.

LE VENDEUR : C'est peut-être un faux contact. Vous avez amené la facture et le certificat de garantie ?

GILLES : Oui, les voilà.

LE VENDEUR : Merci… Mais… vous savez que la garantie a expiré il y a une semaine ?

GILLES : Vraiment ?

LE VENDEUR : Oui, les réparations seront à vos frais.

GILLES : Quoi ? À une semaine près ? Vous ne pouvez pas faire un geste** ?

LE VENDEUR : Je regrette, monsieur. C'est la même chose pour tout le monde.

GILLES : C'est pas croyable. Je vais vous faire de la publicité sur Internet, vous pouvez me faire confiance.

Il s'éloigne.

LE VENDEUR : Attendez ! Monsieur !

* il ne marche pas – **faire un geste commercial, une exception

CHAPITRE **11**

D'AUTRES SITUATIONS

LE LOGEMENT
    Chercher un appartement / une maison
    Problèmes divers
    Avec la gardienne / le gardien

EN VOYAGE
    Acheter un billet
    Avant de prendre l'avion
    Dans l'avion
    Dans le train
    À la douane
    En taxi

LA POLICE

À L'ÉCOLE
    Un cours de langue
    Les études
    Le système scolaire français

L'EMPLOI
    Entretien d'embauche
    À l'ANPE

LES LOISIRS
    Au musée
    Au spectacle
    Dans un club de sport
    Devant la télévision

À la gare

LA CLIENTE : Bonjour, je voudrais deux billets pour Marseille, pour
vendredi prochain.

L'EMPLOYÉ : Oui, madame. Vous partez le matin ou l'après-midi ?

LA CLIENTE : Vers 9 heures, si possible.

L'EMPLOYÉ : Vous avez un TGV à 8 h 45 et un autre, à 9 h 27.

LA CLIENTE : 8 h 45 ? C'est bien. Il y a des réductions ?

L'EMPLOYÉ : Ça dépend. Il y a un retour ?

LA CLIENTE : Oui, dimanche soir. Je crois qu'il y a un train à 20 heures.

L'EMPLOYÉ : Alors, vous pouvez avoir un tarif week-end. Avec une
réduction de 20 %, ça vous fait 156 euros au total.
Vous payez comment ?

LA CLIENTE : Avec une carte de crédit…

L'EMPLOYÉ : Vous pouvez taper votre code… Voilà. Deux allers-
retours Lyon-Marseille. Départ le vendredi 9 à 8 h 45,
retour le dimanche 11 à 20 h 02.

LA CLIENTE : Merci. Au revoir, monsieur.

Avertissement : *vous remarquerez que toutes les structures de ce chapitre appartiennent au registre formel.*

Le logement

(Voir **Lieu d'habitation**, *page 36.)*

CHERCHER UN APPARTEMENT / UNE MAISON

Je téléphone à propos de votre annonce / pour le deux-pièces.
Je viens pour l'annonce parue dans le journal.
Vous pouvez demander :
Le studio est toujours libre ?
Il se situe où exactement ?
Quel est l'arrêt de bus le plus proche ?
Il fait combien de mètres carrés ?
Il y a un ascenseur / une gardienne / un digicode / un parking ?
Quel est le montant du loyer / de la caution ?
Les charges sont comprises ?
C'est libre tout de suite ?
On peut vous dire :
Le bail est d'un an minimum.
Vous avez un garant ?
Venez avec vos fiches de paye / un relevé d'identité bancaire (RIB) !

 Abréviations les plus courantes utilisées dans les petites annonces :

ap. 20 h : après 20 h	**park.** : parking
asc. : ascenseur	**part.** : particulier
ét. : étage	**tél.** : téléphone
F4 : quatre-pièces	**tt cft** : tout confort
m° : métro	**vd** : vend
m² : mètres carrés	

PROBLÈMES DIVERS

*À signaler au propriétaire avant « l'état des lieux »,
document que le locataire et le propriétaire doivent
signer avant l'emménagement.*

Le parquet est abîmé.

La fenêtre ne ferme pas bien.

L'installation électrique est défectueuse.

La peinture s'écaille.

Durant la location

Il y a une fuite d'eau.

L'ascenseur est en panne.

Des carreaux sont tombés dans la salle de bain.

Il n'y a plus d'eau chaude.

AVEC LA GARDIENNE / LE GARDIEN

Vous avez du courrier pour moi ?

J'attends une lettre recommandée / un paquet, vous voulez bien le prendre pour moi ?

J'attends une livraison, je peux vous laisser mes clés ?

J'ai laissé mes clés à l'intérieur, vous connaissez le numéro de téléphone d'un serrurier ?

Mes voisins font toujours beaucoup de bruit la nuit, vous pouvez faire quelque chose ?

*Il est d'usage de donner, pour la nouvelle année,
quelques dizaines d'euros à la gardienne ou au gardien
de son immeuble. Ce sont les étrennes.*

En voyage

ACHETER UN BILLET

Je voudrais un billet pour Milan, s'il vous plaît.

Quelle est la durée du voyage ?

Il arrive à quelle heure ?

À quelle heure y a-t-il un avion / un train pour Francfort ?

On peut vous demander :

Vous partez quand ? / à quelle date ?

Aller-retour ?

Première ou deuxième classe ? *(train)*

Classe économique / Classe affaires / Première classe ? *(avion)*

AVANT DE PRENDRE L'AVION

C'est un vol direct ?

Il faut être à l'aéroport à quelle heure ?

On peut vous répondre :

Il fait escale à Madrid.

N'oubliez pas d'être à l'aéroport deux heures à l'avance.

Vous avez droit à deux bagages maximum.

Vous ne pouvez emporter qu'un petit bagage en cabine.

DANS L'AVION

Attachez vos ceintures.

Redressez votre siège.

Laissez vos ceintures attachées jusqu'à l'arrêt complet de l'appareil.

Vous êtes priés d'éteindre vos téléphones portables.

DANS LE TRAIN

Cette place est libre ? / C'est libre ?

Je cherche le wagon-restaurant.

Vous n'avez pas vu le contrôleur ?

Pouvez-vous me réveiller une heure avant l'arrivée à Florence ?

Vous avez la couchette du haut.

Le contrôleur

Votre billet, s'il vous plaît !

Contrôle des billets, s'il vous plaît !

Vous n'avez pas composté votre billet, vous devez régler une amende de 50 euros.

En France, avant de monter dans un train, vous devez composter votre billet au moyen des appareils situés à l'entrée des quais.

SNCF : Société Nationale des Chemins de fer Français
TGV : Train à Grande Vitesse
AR : Aller Retour

À LA DOUANE

Le douanier

Vous avez quelque chose à déclarer ?

Cette valise est à vous ?

Pouvez-vous l'ouvrir, s'il vous plaît ?

EN TAXI

120, quai de la Gare, s'il vous plaît !

C'est là.

Arrêtez-vous ici.

Les taxis en France n'ont pas de couleur spécifique. On les reconnaît au voyant lumineux TAXI placé sur leur toit. Il est allumé si le taxi est libre. Si une des lumières A, B ou C, qui correspondent à des zones et des tarifs différents, est allumée, le taxi n'est pas libre.
En général, les chauffeurs de taxi refusent qu'un client s'asseye à l'avant.

La police

En voiture

Police nationale. Puis-je voir votre permis de conduire et votre carte grise ?

Gendarmerie nationale. Vos papiers, s'il vous plaît !

Vous n'avez pas vu le feu ?

Pourriez-vous souffler dans l'alcootest ?

Pour contacter la police

Excusez-moi, où se trouve le commissariat de police ?

Bonjour, monsieur, je voudrais déclarer le vol de mes papiers.

Allô, police secours ? Je vous téléphone pour vous signaler un accident.

Le policier peut vous dire :

On vous les a volés ou vous les avez perdus ?

Décrivez-moi votre agresseur !

Contrôle d'identité

Police nationale, vous avez une pièce d'identité / votre passeport / votre carte de séjour ?

 En France, il est obligatoire d'avoir en permanence une pièce d'identité avec soi.

Votre permis de séjour est périmé.

Veuillez nous suivre au poste !

Tout est en règle, merci.

Quelques formules au cas où...

Je voudrais téléphoner à mon ambassade.

Je ne parlerai qu'en présence de mon avocat.

À l'école

UN COURS DE LANGUE

Je voudrais m'inscrire à un cours de français.

Je voudrais faire du français écrit / oral.

Je voudrais suivre un cours de conversation / de phonétique.

Je suis intéressé(e) par un cours de français par le théâtre.

Quels sont les horaires possibles ?

Quelle méthode utilisez-vous ?

Est-ce que vous utilisez un manuel ?

Est-ce que le livre est fourni ?

Il y a un examen à la fin ?

Est-ce qu'on reçoit un diplôme ?

On peut vous dire :

Intensif ou extensif ?

Vous devez passer un test pour connaître votre niveau.

LES ÉTUDES

Je suis étudiant(e) à l'université de Rouen / à la fac de lettres.

J'étudie le droit, je veux être avocat(e).

Tu es dans / en quelle classe ?
En sixième ?

LE SYSTÈME SCOLAIRE FRANÇAIS

La scolarité est obligatoire et gratuite de 6 à 16 ans.

École maternelle	À partir de 2/3 ans	Petite section Moyenne section Grande section	
École élémentaire	6-11 ans	CP (Cours Préparatoire) CE1 (Cours Élémentaire 1re année) CE2 (Cours Élémentaire 2e année) CM1 (Cours Moyen 1re année) CM2 (Cours Moyen 2e année)	
Collège	12-15 ans	6e 5e 4e 3e *Brevet des collèges*	Classes préprofessionnelles
Lycée	16-18 ans	2e 1re Terminale *Baccalauréat*	Diplômes professionnels : *CAP*[1], *BEP*[2] ou *BP*[3]
Université / grandes écoles		*DEUG*[4] (deux ans) *Licence* *Maîtrise* *DEA*[5] ou *DESS*[6] *Doctorat*	Institut Universitaire de Technologie *DUT*[7] (deux ans)

Les diplômes sont indiqués en italique.

1. CAP : Certificat d'Aptitude Professionnelle
2. BEP : Brevet d'Études Professionnelles
3. BP : Brevet Professionnel
4. DEUG : Diplôme d'Études Universitaires Générales
5. DEA : Diplôme d'Études Approfondies
6. DESS : Diplôme d'Études Supérieures Spécialisées
7. DUT : Diplôme Universitaire de Technologie

L'emploi

ENTRETIEN D'EMBAUCHE

Bonjour, je suis madame Laplace. J'ai rendez-vous avec monsieur Bertrand.

En quoi consiste ce travail ?

Quelle est la définition du poste ?

Quels sont les horaires de travail ?

Quel est le salaire ?

On peut vous demander :
Parlez-nous de votre expérience professionnelle !
Pourquoi avez-vous choisi notre entreprise ?
Vous êtes disponible à partir de quand ?
Est-ce que vous accepteriez des horaires flexibles ?
Nous vous recontacterons.
On vous téléphonera.

À L'ANPE

 *L'*Agence Nationale Pour l'Emploi *est un organisme public chargé de proposer un travail aux demandeurs d'emploi.*

Je viens pour m'inscrire.
Je suis à la recherche d'un poste de…
J'ai fait un stage de…
J'ai suivi une formation de…
On peut vous demander :
Quel type d'emploi recherchez-vous ?
Vous avez amené un curriculum vitae / CV ?
Voulez-vous remplir ce formulaire ?

Les loisirs

AU MUSÉE

Une entrée, s'il vous plaît. C'est combien ?
Il y a une réduction pour les étudiants ?
Est-ce qu'il y a une visite guidée (en anglais / en espagnol) ?
La prochaine visite guidée est à quelle heure ?

AU SPECTACLE

LA LOCATION
EST OUVERTE
DE 10 H À 19 H

Relâche le lundi

Une place, s'il vous plaît.
Il y a un entracte ?
On peut vous dire :
Demandez le programme !
Vos billets, s'il vous plaît !

DANS UN CLUB DE SPORT

Qu'est-ce que vous proposez comme activités ?
Je voudrais m'inscrire dans votre club.
Quels sont les horaires et jours d'ouverture ?
On peut vous dire :
Vous voulez un forfait mensuel ou annuel ?
Amenez un certificat médical !

DEVANT LA TÉLÉVISION

Tu as le programme de la télé ?
Qu'est-ce qu'il y a à la télé, ce soir ?
Je peux changer de chaîne ?
Passe-moi la télécommande !
Arrête de zapper, tu m'énerves !
Tu peux baisser le volume ? On ne s'entend plus.

DIALOGUES

L'agence de la Mairie

L'EMPLOYÉE : Agence de la Mairie, bonjour.

M. SENTIER : Bonjour madame, j'ai vu votre annonce pour un trois-pièces dans le XVIIIe arrondissement. Il est toujours libre ?

L'EMPLOYÉE : Euh… oui, monsieur.

M. SENTIER : Où est-il situé exactement ?

L'EMPLOYÉE : Rue Jules Joffrin. C'est un quartier commerçant, mais la rue est calme.

M. SENTIER : Il est à quel étage ?

L'EMPLOYÉE : Au cinquième. Il est exposé plein sud.

M. SENTIER : Il y a un ascenseur ?

L'EMPLOYÉE : Oui. C'est un immeuble ancien mais il a été rénové il y a deux ans. La salle de bains et les toilettes ont été complètement refaites.

M. SENTIER : Il y a un parking ?

L'EMPLOYÉE : Non.

M. SENTIER : Le loyer est de combien ?

L'EMPLOYÉE : 1 100 €, charges comprises.

M. SENTIER : Oh, je peux le visiter aujourd'hui ?

L'EMPLOYÉE : Si vous voulez. Passez à l'agence en fin d'après-midi !

M. SENTIER : D'accord. Je passerai vers cinq heures.

L'EMPLOYÉE : Pouvez-vous me donner votre nom ?

M. SENTIER : Je suis monsieur Sentier.

L'EMPLOYÉE : Bien, merci. À tout à l'heure, monsieur.

M. SENTIER : Au revoir.

État des lieux

L'AGENT IMMOBILIER : Comme vous le voyez, cet appartement est en excellent état.

LE LOCATAIRE : Allons voir la salle de bains… Regardez ! Il y a une fuite dans les toilettes. Vous voyez l'eau qui coule, non ?

L'AGENT IMMOBILIER : Ah, oui ! Je vais noter ça.

LE LOCATAIRE : Et là ? Il y a trois carreaux qui sont tombés. Il faudrait faire quelque chose.

L'AGENT IMMOBILIER : C'est d'accord. L'agence s'en occupe cette semaine.

LE LOCATAIRE : Merci. Je compte sur vous.

À l'agence de voyages

LA CLIENTE : Bonjour, je voudrais partir à Rio début mars, le 2 ou le 3. Vous pensez qu'il y a encore des places ?

L'EMPLOYÉE : Nous allons voir. C'est pour combien de personnes ?

LA CLIENTE : Une.

L'EMPLOYÉE : Vous pensez rentrer quand ?

LA CLIENTE : À la fin du mois, le 30 ou le 31.

L'EMPLOYÉE : J'ai un vol charter, départ le 4 mars, retour le 4 avril. Dates impératives.

LA CLIENTE : Ah ! ce n'est pas possible. Je dois être rentrée le 1er avril.

L'EMPLOYÉE : Alors, j'ai un vol régulier un peu plus cher. À 650 euros, plus les taxes d'aéroport. Départ le 2, retour le 30 mars. Mais il faut vous décider vite, il ne reste que deux places à l'aller.

LA CLIENTE : C'est quelle compagnie ?

L'EMPLOYÉE : Air 9.

LA CLIENTE : Eh bien, c'est d'accord.

À la douane

LE DOUANIER : Bonjour. Vous avez quelque chose à déclarer ?

LE PASSAGER : Euh… non.

LE DOUANIER : Pouvez-vous ouvrir votre valise, s'il vous plaît ?

LE PASSAGER : Oui.

LE DOUANIER : Qu'est-ce qu'il y a dans ces paquets ?

LE PASSAGER : Ce sont des cadeaux pour des amis.

LE DOUANIER : Quel genre de cadeaux ?

LE PASSAGER : Trois fois rien, un collier, une bague…

LE DOUANIER : Vous avez beaucoup d'amis, dites donc. Il y a douze paquets !

LE PASSAGER : Mais ils n'ont pas une grande valeur !

LE DOUANIER : On va voir ça.

Taxi ! Taxi !

EDMOND : Taxi ! Taxi !

MALIKA : Mais non, ça ne sert à rien de l'appeler. Il n'est pas libre. Tu ne vois pas que le voyant jaune est allumé ?

EDMOND : Ah, bon !... Taxi ! Taxi !

UN CHAUFFEUR : Vous allez où ?

EDMOND : Place de l'Opéra.

LE CHAUFFEUR : Ah ! désolé ! Ce n'est pas ma direction. Je rentre à Levallois.

EDMOND : !!!

MALIKA : Ça fait vingt minutes qu'on attend. J'en ai marre. On prend le métro ?

EDMOND : Attends, en voilà un. Taxi ! Taxi !

. . . .

EDMOND : Place de l'Opéra, s'il vous plaît.

UN 2ᵉ CHAUFFEUR : Oui, vous avez un itinéraire préféré ?

EDMOND : Non, mais essayez de faire le plus vite possible. Nous sommes déjà en retard.

LE 2ᵉ CHAUFFEUR : Je ne vous promets rien. Il y a beaucoup d'embouteillages quand il pleut.

Contrôle de police

UN POLICIER : Police française, bonjour. Contrôle d'identité.

UNE TOURISTE : Bonjour... ?

UN POLICIER : Vous savez que vous devez avoir votre passeport avec vous ?

LA TOURISTE : Je ne parle pas français. Touriste japonaise.

UN POLICIER : Votre passeport, passeport... You speak english ?

LA TOURISTE : English ? No, japonaise.

UN POLICIER : Tu parles japonais, toi ?

UN 2ᵉ POLICIER : Tu crois que je serais un simple flic* si je parlais japonais ?

LE 1ᵉʳ POLICIER : Bon, ça va pour cette fois. Vous pouvez circuler.

* policier

Le cours de français

LA CLIENTE : Bonjour. Je voudrais m'inscrire pour un cours de français.

L'EMPLOYÉE : Oui, mademoiselle, intensif ou extensif ?

LA CLIENTE : Extensif, je pense. Vous avez des cours en fin d'après-midi ?

L'EMPLOYÉE : Oui, de 18 h à 20 h, du lundi au vendredi.

LA CLIENTE : Il y a un test ?

L'EMPLOYÉE : Oui, vous devez passer un test de niveau et ensuite, on vous orientera dans la classe qui vous convient. Vu la façon dont vous parlez, vous serez certainement au niveau supérieur.

LA CLIENTE : Oui, mais j'ai des problèmes à l'écrit. Je fais beaucoup de fautes d'orthographe.

L'EMPLOYÉE : Si vous préférez, vous pouvez suivre un cours d'écrit. Signalez-le au professeur qui va vous tester.

LA CLIENTE : D'accord. Vous utilisez un manuel ?

L'EMPLOYÉE : Oui, il est fourni gratuitement lors de l'inscription.

LA CLIENTE : Et il y a un examen à la fin du stage ?

L'EMPLOYÉE : Oui, si vous le souhaitez, vous pouvez passer le DELF* ou le DALF**. Si vous n'avez pas d'autres questions, vous pouvez vous rendre à l'orientation, c'est la porte en face. Et puis vous passerez à la caisse pour votre inscription définitive.

LA CLIENTE : D'accord. Merci, madame.

Diplôme d'Études de Langue Française – ** *Diplôme Approfondi de Langue Française*

À l'ANPE

L'EMPLOYÉ : Alors, M. Thomas, vous cherchez un emploi d'informaticien ?

M. THOMAS : Oui. Je vous ai amené un CV et mon attestation d'inscription aux Assedic*.

L'EMPLOYÉ : Merci. Je vois que c'est un licenciement économique. Est-ce que vous seriez intéressé par une formation ? Vous savez que vous y avez droit ?

M. THOMAS : Éventuellement, oui. Vous pensez que je pourrai retrouver du travail facilement ?

L'EMPLOYÉ : Je pense que oui. Dans votre branche, il y a toujours de nouvelles offres. Vous pouvez consulter les offres d'emploi sur les panneaux à l'entrée de l'agence. De toute façon, dès que nous avons quelque chose, nous vous contacterons.

M. THOMAS : J'envisage également de partir à l'étranger.

L'EMPLOYÉ : Je vais vous donner l'adresse de l'ANPE-international. Ils éditent également un bulletin mensuel avec les offres d'emploi à l'étranger. Vous pouvez le trouver ici.

M. THOMAS : D'accord. Merci.

* Assedic: Association pour l'Emploi Dans l'Industrie et le Commerce, elle est chargée de la gestion de l'assurance chômage.

À l'Opéra

LE CLIENT : Bonjour, madame. Je voudrais deux places pour les *Noces de Figaro.*

LA CAISSIÈRE : Oui, à quelle date ?

LE CLIENT : Le 16 mars, c'est possible ?

LA CAISSIÈRE : Ah ! c'est complet. Mais il y a encore des places pour le lendemain.

LE CLIENT : Elles sont à combien ?

LA CAISSIÈRE : Il reste seulement des places à 40 euros, au premier balcon.

LE CLIENT : D'accord… Il n'y a pas de réduction pour les étudiants ?

LA CAISSIÈRE : Non, je regrette.

LE CLIENT : Bon, ça ne fait rien. Je peux payer par chèque ?

LA CAISSIÈRE : Ah, non ! Je suis désolée. Nous n'acceptons que les cartes de crédit ou les espèces. Vous voulez combien de places ?

LE CLIENT : Deux.

LA CAISSIÈRE : Cela fait 80 euros.

LE CLIENT : Bien. Voilà, madame.

LA CAISSIÈRE : Merci, monsieur, voici vos billets.

Le club de gym

L'EMPLOYÉE : Voici notre brochure avec toutes les activités que vous pouvez pratiquer ici : gymnastique, aérobic, stretching...

LA CLIENTE : Quelle est la durée de l'inscription ?

L'EMPLOYÉE : Vous pouvez vous inscrire au trimestre ou à l'année.

LA CLIENTE : Pour un mois, ce n'est pas possible ?

L'EMPLOYÉE : Ah, non ! Désolée.

LA CLIENTE : Vous êtes ouverts de quelle heure à quelle heure ?

L'EMPLOYÉE : Tous les jours, de 10 heures à 22 heures.

LA CLIENTE : Bon. Je vais emporter votre brochure et je vais réfléchir.

L'EMPLOYÉE : Je vous donne aussi un formulaire d'inscription. Et n'oubliez pas d'apporter un certificat médical.

À la télé

MME CARNOT : Qu'est-ce qu'il y a à la télé ce soir ?

M. CARNOT : Comme tous les samedis. À huit heures, les infos, ensuite de la pub, la météo, de la pub, le loto, un quart d'heure de pub...

MME CARNOT : Ça, je sais et après ?

M. CARNOT : Après tu as le choix entre une série policière française, des variétés, une série policière américaine, une série policière allemande ou un documentaire sur les ours polaires. Qu'est-ce que tu préfères ?

MME CARNOT : Si on allait au ciné ?